afgeschreven

VERDRONKEN

Wil je op de hoogte worden gehouden van de romans van Orlando uitgevers? Meld je dan aan voor de nieuwsbrief via onze website www.orlandouitgevers.nl.

THERESE BOHMAN

Verdronken

Vertaald uit het Zweeds door Edith Sybesma

ORLANDO
uitgevers

Het fragment uit het gedicht *Ophélie* van Arthur Rimbaud is ontleend aan de vertaling van Paul Claes, uit de bundel *Gedichten, Een seizoen in de hel, Illuminations*. Athenaeum-Polak & Van Gennep, Amsterdam 2006.

Deze vertaling kwam mede tot stand dankzij een subsidie van Swedish Arts Council.

De vertaler ontving voor deze vertaling een werkbeurs van het Nederlands Letterenfonds.

Oorspronkelijke titel *Den drunknade*
Oorspronkelijke uitgever Norstedts, Zweden
Omslagontwerp b'IJ Barbara
Foto omslag © Sabine Joosten/Hollandse Hoogte
Foto auteur © Matilda Kreem
Typografie Pre Press Media Groep, Zeist
Druk- en bindwerk Wilco, Amersfoort

ISBN 978 90 229 6000 4
NUR 302

www.orlandouitgevers.nl

De kracht die kiemen krioelend uit de grond
omhoog kan stoten,
celweefsel voor de stengel spint en in de
bloemknop, nog gesloten,
fijn geurende oliën maakt, de bloem met teer
geweven sluiers kroont –
het is dezelfde kracht die ook in ons, diep in
ons eigen wezen woont.

Ola Hansson – *Notturno*

I

De trein rijdt precies op tijd het station binnen. Ik voel me zo slap als een vaatdoek wanneer ik opsta en mijn tas uit het bagagerek boven het raam trek. Er was iets mis met mijn stoel, met de pal die de rugleuning moet tegenhouden als je die naar achteren hebt geklapt in de stand waarin je hem wilt hebben. Telkens als de trein versnelde, werd ik achterovergeduwd en ik ben tijdens de reis een paar keer wakker geworden om tot de ontdekking te komen dat ik bijna lag. Ik zet mijn rugleuning liever niet te ver naar achteren; het gevoel dat die achter mijn rug verdwijnt doet me meteen aan tandartsbezoeken denken.

Met de nodige moeite haal ik mijn grote koffer uit het rek naast de deur, terwijl de trein stopt en de deuren openglijden. De warmte komt als een muur op me af. Het is benauwd, beslist niet veel frisser dan in de trein en het is zo licht dat het pijn doet aan mijn ogen; ik moet een paar keer knipperen. Ik voel me slaapdronken, het ritselt nog steeds in mijn oren na een tunnel, het is net alsof ik heb gevlogen in plaats van gespoord. Ik houd niet van reizen, ook al is met de trein reizen beter dan met het vliegtuig, minder heftig. Je krijgt de tijd om aan het idee te wennen dat je ergens anders heen gaat.

Ik knijp mijn ogen tot spleetjes en zie Stella verderop op het perron staan, zij is uiteraard ook op tijd. Als ze me ziet, glimlacht ze met haar hele gezicht, ze zwaait en komt snel naar me toe lopen. Mijn handen plakken van de hitte en van de snoep die ik in de trein heb gegeten, maar natuurlijk geeft ze me geen hand; ze slaat haar armen om me heen en trekt me dicht tegen zich aan en ik beantwoord haar omhelzing. Haar geur is bekend, ze ruikt net als altijd. Koel.

'Heb je een goede reis gehad?' vraagt ze. Ze klinkt vrolijk.

'Ja, zeker. Het duurde alleen zo lang.'

Ze knikt en wijst naar de kleine kiosk in het stationsgebouw.

'De auto staat vlak om de hoek. Moet ik je helpen met je bagage?'

'Nee, dat lukt wel.'

Ze heeft zelf al een tas te dragen, een bruine leren handtas die er duur uitziet. Ze ziet er helemaal duur uit, bedenk ik, met haar beige rok en krijtwitte bloes. Ze ziet er schoon en knisperend uit, alsof haar kleren in de zeewind te drogen hebben gehangen, zijn gesteven door het zout in de lucht en niet eens gestreken hoefden te worden. In haar oren glinsteren pareltjes. Ik voel me stoffig en heb een vieze smaak in mijn mond van de snoep. Ik zou graag mijn tanden willen poetsen.

'Ik heb tegen Gabriel gezegd dat hij met het eten moest beginnen,' zegt ze terwijl we naar de auto lopen. Mijn koffer ratelt over de kieren tussen de tegels voor het stationsgebouw, en er cirkelen meeuwen door de lucht. 'Heb je trek?'

Ik voel me eerder misselijk, maar het lijkt me niet beleefd om dat te zeggen. Ik knik, ze glimlacht naar me, rammelt met de autosleutels in haar hand.

We rijden over de provinciale weg door korenvelden. De zon schijnt nog steeds onbarmhartig ook al wordt het al avond, de lucht is bijna onwerkelijk blauw, als een enorme koepel boven het open landschap. Stella heeft een grote, donkere zonnebril opgezet. Die van mij zit in mijn koffer, dus ik moet tussen mijn wimpers door blijven turen. Ze drukt een knop van de autostereo in, een nummer van New Order: *In the end you will submit, it's got to hurt a little bit.* Stella trommelt met haar wijsvingers op het stuur, kijkt even naar me en glimlacht, ik glimlach terug. We kunnen nog een paar nummers horen voor we er zijn. Stella verlaat de provinciale weg en slaat een kleinere in, en daarna een hobbelige onverharde weg. Achter ons hangt stof en er tikken steentjes tegen het onderstel van de auto, het klinkt als hagel. Aan weerskanten van de weg zijn nog steeds korenvelden, onkruid langs de kant, distels, grijs van het stof.

De weg eindigt bij een kleine parkeerplaats voor een gele houten villa. Het is een mooi huis met een glazen balkon boven de grote veranda. De tuin staat vol met oude fruitbomen, verderop zie ik een moestuin met bloembedden en rijen groenten. Er ligt een zwarte kat op de trap, maar die wordt wakker van het geluid van de motor en slentert langzaam weg. Stella stapt energiek uit de auto, ik voel me nog steeds soezerig.

'Kom, dan leid ik je rond.'

'Ik moet eerst naar de wc.'

Ze kijkt eerst misnoegd, maar lijkt dan te beseffen dat het een heel redelijke wens is. Ze opent de kofferbak en tilt mijn koffer eruit, die met een zware bons op het grind van de parkeerplaats neerkomt. Ze glimlacht naar me.

'Heb je je hele bibliotheek meegenomen?'

Ik glimlach ook.

'Die moeten we maar samen dragen.'

Samen dragen we mijn koffer over de parkeerplaats, over een paadje bestaande uit losse tegels, de trap op naar de bijkeuken en door een gordijn van bamboestokjes dat voor de deuropening hangt naar binnen. Het rammelt en doet me denken aan het geluid van een xylofoon. Het is warm in huis en het ruikt naar hout; droog en een beetje muf op een manier die niet onplezierig is, maar juist gezellig, net als in een zomerhuisje. De hal is donker, maar de keuken is groot en licht, en bij het aanrecht staat de man die Gabriel is knalgroene peultjes af te spoelen in een vergiet. Hij is lang en donker.

'Gabriel, dit is Marina.'

Zijn handdruk is stevig en zijn handen zijn groot. Hij glimlacht breed wanneer hij zegt dat hij het leuk vindt me eindelijk te ontmoeten. Hij neemt me even onderzoekend op en kijkt me in de ogen totdat ik mijn blik moet neerslaan. Daarna beginnen ze over het eten. Hij zegt dat hij de goede soorten sla niet kon krijgen, dat het een winkel van niks is.

'Er is een wc in de hal.'

Ik neem mijn handtas mee en wanneer ik mezelf in de spiegel boven de wastafel zie, bedenk ik dat ik me wat had moeten opknappen voordat ik uit de trein stapte. Ik zie bleek en mijn voorhoofd is vochtig. Mijn haar is plat en ziet er droog en breekbaar uit, misschien door de airconditioning in de trein. Ik plas en werk daarna snel mijn make-up bij, ga met mijn handen door mijn haar en probeer er wat meer volume in te brengen.

Gabriel is nog steeds bezig met de sla wanneer ik de keuken weer binnenkom; hij snijdt radijsjes in dunne plakjes.

'Je zus is zich gaan verkleden,' zegt hij.

Ik knik.

'Moet ik je ergens mee helpen?'

'Nee, ik ben bijna klaar. Bovendien is dit je welkomstmaaltijd. Dus je hoeft je alleen maar welkom te voelen.'

Hij glimlacht.

'Wil je iets hebben? Alvast iets drinken?'

Opeens voel ik dat ik dorst heb. Ik had mijn tanden ook moeten poetsen, ik heb nog steeds dat zoete, plakkerige gevoel in mijn mond.

'Ja, graag.'

'Een glas wijn?'

'Ik heb liever water, ik geloof dat ik hoofdpijn krijg.'

Gabriel kijkt bezorgd.

'Heb je dat vaak?'

'Nee... niet echt.'

'Stella heeft vaak hoofdpijn,' zegt hij. 'Misschien is het een familiekwaal.'

'Nee, dat geloof ik niet.'

Hij doet een keukenkastje open en rommelt erin totdat hij een doosje hoofdpijntabletten vindt, dat hij omhooghoudt.

'Wil je hier een van?'

Ik knik.

'Ja, graag.'

Hij schenkt een glas water voor me in en geeft me het doosje. Het water is zo koud dat ik het glas bijna niet vast kan houden. Ik druk een tablet door het zilverfolie naar buiten. Er klinkt een gedempt geritsel; ik houd van dat geluid, al sinds ik klein was. De kou van het water bezorgt me scheuten door mijn hoofd, een moment van onbehagen voordat ik het gevoel krijg dat mijn hoofd opklaart. Ik drink het glas in lange teugen leeg. Het water smaakt anders dan in de stad: schoon, metalig.

'Lekker water.'

'Uit eigen bron,' zegt Gabriel. Hij schudt de uitgelekte peultjes uit het vergiet in een grote porseleinen schaal. Stella verschijnt in de deuropening, ze draagt nu een spijkerbroek en een wit T-shirt. Ze ziet er nog steeds elegant uit, ook al heeft ze nu blote voeten.

'Hoe staat het ermee?' vraagt ze.

'Goed,' zegt Gabriel. 'Ik stop alleen de kaas nog even in de oven en daarna kunnen we aan tafel.'

We zitten op de veranda te eten. Stella heeft de tafel mooi gedekt met linnen servetten die er oud uitzien, en een grote bos bloemen die in een oude porseleinen kan met gebarsten glazuur staat. Lupines, margrieten, rode klaver. De klaver hangt een beetje slap. Hij is bijna uitgebloeid, maar is nog steeds diep en koel rood.

'*Trifolium pratense*,' mompelt Stella wanneer ze een hangend klaverkopje goed zet.

'Vreselijke betweter,' zegt Gabriel glimlachend. Hij zegt het op een aardige manier, alsof hij eigenlijk trots op haar is. Stella kent de wetenschappelijke namen van alle planten, soms lijkt ze zich er niet eens van bewust dat ze die gebruikt.

Het is inmiddels iets koeler geworden. Als voorgerecht serveert Gabriel geitenkaas op witbrood en een salade versierd met goudsbloemen. Ze smaken peperig, het is een lekkere combinatie met de honing op de kaas. Zodra ik de eerste hap heb doorgeslikt merk ik hoeveel trek ik heb. Ik moet mijn best doen om het eten niet naar binnen te proppen. Gabriel kijkt naar me wanneer ik een stuk kaas in mijn mond stop, en ik voel me meteen gegeneerd, bedenk dat hij me vast gulzig zal vinden.

'Wat was dat lekker,' zeg ik als ik mijn mond leeg heb.

Hij knikt.

'Mooi,' zegt hij op zakelijke toon, alsof hij al wist dat het lekker was en ik het goede antwoord heb gegeven. Tegelijkertijd lijkt een glimlach nooit ver weg. Dat bedenk ik wanneer ik Stella en hem samen hoor praten. Stellige uitspraken wisselt hij steeds af met een brede glimlach om iets wat zij zegt. Ik kom er niet goed achter wanneer hij iets echt meent en wanneer hij maar doet alsof.

'Hoe gaat het nu met je studie?' vraagt Stella me.

'Gaat wel,' mompel ik.

Ik had gehoopt dat ik die vraag niet zou krijgen, maar tegelijkertijd wist ik dat die zou komen. Stella trekt haar wenkbrauwen op.

'Gaat wel?'

Ik moet mijn mond leegeten voordat ik antwoord kan geven. De peultjes zijn knapperig, ik heb heel lang geen verse gegeten, in jaren niet. We teelden ze zelf thuis in de moestuin toen Stella en ik klein waren, we wilden ze altijd zo graag oogsten dat ze we ze al opaten als de erwtjes nog maar kleine korreltjes waren. De peul wordt draderig in mijn mond. Ik slik.

'Ik moet nog een paar punten van het laatste semester. Ik heb mijn scriptie nog niet af.'

Stella knikt.

'Die moet je dan zeker afmaken voordat het nieuwe semester begint?'

'Ja.'

Ze knikt weer.

Na het eten leidt Stella me rond. De zon gaat onder, het huis is omgeven door korenvelden en de horizon is aan alle kanten ver weg. De hemel is groot en nog steeds blauw, alleen nu bijna lavendelkleurig. Overal bloeien planten, in potten en perken, ze klimmen tegen muren en spalieren op, strekken zich uit over de grond. Uit een grote oude zinken teil welt Oost-Indische kers, een kronkelende wirwar, met uitlopers die lukraak alle kanten op lijken te schieten, wanhopig op zoek naar iets om zich aan vast te grijpen.

In een hoek van de tuin ligt de moestuin, daar groeien kruiden en groenten, zenuwachtig trillende cosmea en de robuuste goudsbloemen waarmee de sla was versierd, en aardbeien, net als in de moestuin bij onze ouders thuis. Stella en ik renden er in de zomervakantie altijd 's ochtends heen, in ons nachthemd en op blote voeten, om te zien of er nog aardbeien rijp waren geworden sinds de vorige avond. Ik herinner me dat speciale gevoel van vroege zomerochtenden nog goed, een schone geur, de koele dauw op de grond waardoor er grassprietjes aan je voetzolen bleven plakken. Stella tilt een paar bladeren van een aardbeienplant op om me de vruchten te laten zien; ze zijn klein. De planten groeien nu al jaren achtereen op dezelfde plek, legt ze uit, die moet ze volgende zomer verplaatsen. De bodem raakt uitgeput.

De tuin staat vol wilde bloemen, verderop bloeien klaver, lupine, margrieten en vlammende oranjelelies.

'Ouderwetse boerenbloemen,' zegt Stella, ook al is het huis nauwelijks een boerderij te noemen. Ze wijst naar stokrozen, munt en hop, die lang geleden zijn geplant, honderd jaar of misschien nog wel langer geleden. Het huis is ooit het woonhuis van een boerderij geweest. Het is sindsdien verbouwd en uitgebouwd, de grond is verpacht, de schuur afgebroken en van het kippenhok is een gereedschapsschuur gemaakt. Naast de schuur staat een oude broeikas. Daarachter schiet het gras hoog op en de tuin eindigt bij een stenen muur die op instorten staat. Er groeien volop grasklokjes tussen de stenen. Stella zegt dat daar slangen zitten, adders; ze heeft ze een paar keer gezien, in de zon op een steen, ze zegt dat ik op moet passen.

'De ouders van Gabriels moeder hebben hier gewoond,' zegt ze. 'Hij heeft het vijf jaar geleden geërfd. Mooi, vind je niet?'

Ik knik. We lopen om het huis heen, Stella wijst omhoog naar het grote glazen balkon.

'Daar zit hij altijd te werken.'

Vervolgens gaan we weer naar binnen. Het is nu stil en schemerig in huis, ook in de keuken. Stella laat me mijn kamer zien: een logeerkamertje op de begane grond, gezellig op een onpersoonlijke manier. De houten vloer is wit geschilderd en op een kastje staat een boeket van dezelfde soorten bloemen als op de veranda. Op het bed ligt een mooie gehaakte sprei, misschien heeft Gabriels oma die wel gemaakt. Een ronde, melkwitte porseleinen lamp aan het plafond verspreidt een warm licht.

'Ik moet nu naar bed,' zegt Stella. 'Ik moet morgen vroeg op mijn werk zijn om een uitplanting voor te bereiden. Als ik er niet bij ben om toezicht te houden, gaat het altijd fout.'

Ze trekt een gezicht en glimlacht dan.

'Ik ben blij dat je eindelijk gekomen bent,' zegt ze op ernstiger toon.

'Ik ook,' zeg ik, en ik merk dat ik mijn blik snel verplaats van Stella naar de vloer, waar een oud verbleekt, van repen stof geweven vloerkleed ligt, ik vestig mijn blik op het patroon.

'Ik kan morgen eerder weggaan,' zegt ze. 'We kunnen iets leuks gaan doen als ik klaar ben. Zou je naar de stad willen komen?'

'Ja, prima.'

'Ik kan je morgenochtend bellen, dan spreken we het dan af,' zegt ze. Ik knik.

'Je kunt het raam beter dichtdoen als je de lamp hier aan wilt hebben,' gaat ze verder. 'Anders komen er muggen binnen.'

Ik loop naar het raam, haal eerst de haak los waar het mee vast staat en trek het dan dicht. Het klemt en knarst. Stella glimlacht.

'Het werkt hier allemaal niet naar behoren,' zegt ze.

'Ik vind het gezellig.'

Door het raam zie ik de voorkant van het perceel, de fruitbomen als donkere gedaanten in de schemerige tuin.

'Als je nog niet wilt gaan slapen: Gabriel blijft vast nog wel een paar uur op.'

Ze raapt een paar verschrompelde stukjes van een verwelkte rode klaver op, die op het kastje gevallen zijn, en bewaart ze in haar hand.

'Ik hoop dat je hier lekker kunt slapen,' zegt ze, en ze klinkt beleefd en tegelijkertijd ietwat afwezig.

'Vast wel,' zeg ik.

Ze geeft me een knuffel voordat ze de veranda op loopt om Gabriel welterusten te wensen. Ik blijf een poosje op de rand van het bed zitten en bedenk dat ik mijn spullen uit zou moeten pakken, maar ik voel me moe, een beetje slaperig van het eten en de wijn. Ik doe mijn koffer open, haal er een dun vest uit en trek dat aan. Het is niet koud, maar het koelt wel af, en als ik de veranda weer op stap is het daar ook schemerig. Gabriel heeft een oude petroleumlamp aangestoken die op tafel staat, de geur ervan doet me ergens aan denken, aan iets van toen ik klein was. Hij zit met een glas wijn naast zich te lezen en glimlacht wanneer hij me ziet.

'Alles goed?' vraagt hij. 'Hoe is het met je hoofd?'

'Het gaat al beter. Ik denk dat ik te weinig had gedronken en dat met die hitte.'

'Wil je nog wat wijn?'

'Ja, graag, als jij ook neemt.'

'Dan moet je even een schoon glas pakken, Stella heeft de gebruikte waarschijnlijk al in de vaatwasser gezet.'

Ik trek in de keuken twee keer een verkeerd kastje open voordat ik de wijnglazen vind; ze zijn er in verschillende varianten, een paar van elke soort en ze zien er allemaal oud uit. Als ik terugkom is Gabriel bezig een geluidsbox uit de woonkamer door de terrasdeur naar buiten te brengen. Daarna zet hij een plaat op, er klinkt gekraak als de naald op de draaischijf terechtkomt. Het nummer komt me niet bekend voor, maar ik herken wel de stem van David Bowie. Gabriel gaat naast me op de bank zitten en schenkt mijn glas vol. Ik neem een slok. Het is de wijn die we ook bij het eten gedronken hebben, maar ik vind hem nu anders smaken, stroever.

'Hoe bevalt het je in Stockholm?' vraagt Gabriel.

'Niet zo goed, eigenlijk.'

'Mij beviel het ook niet zo.'

'Heb je in Stockholm gewoond?'

'Jazeker. Best lang.'

We praten even over Stockholm en ik vertel over de flat die ik in onderhuur heb. Bij de gedachte eraan alleen al krijg ik een gevoel van onbehagen, ik denk aan die specifieke drukkende hitte die daar op zonnige dagen ontstaat. Eigenlijk is het een prima flat, met allerlei details die ik mooi vind: vensterbanken van massief marmer, mooi parket, uitzicht op dennen, dennen die ik echt bij een functionalistische buitenwijk vind horen. Ze zien er heel apart uit, enigszins verzwakt na een lang leven in een woonwijk, een beetje dor en stoffig. Als de zon schijnt, lijkt de flat ook stoffig, alsof de lucht er stilstaat, alsof alles meteen een dun laagje stof krijgt, dat de zon dan onthult. Ik heb soms het idee dat ik niet genoeg lucht krijg en moet dan alle ramen wijd openzetten en op het balkon gaan staan.

'Het is een hele poos geleden dat Stella en jij elkaar voor het laatst hebben gezien, hè?' vraagt Gabriel.

'Met Kerstmis.'

Hij knikt.

'Vind je het dom van haar dat ze hier is gaan wonen?'

'Nee, ze had hier toch werk gevonden, dus...'

Hij glimlacht even.

'Maar ik ben te oud voor haar... Dat zegt iedereen toch?'

'Nee...' mompel ik. 'Niet dat ik gehoord heb.'

Tot mijn opluchting stapt hij op een ander onderwerp over. Want ik heb wel degelijk mensen horen zeggen dat Gabriel te oud is voor Stella. Dat heb ik mijn ouders horen zeggen en ik heb familieleden hun wenkbrauwen zien fronsen met precies die betekenis. Hij is minstens vijfenveertig; ze schelen vast wel een jaar of vijftien, misschien meer. Ik moet denken aan de keer dat Stella onze ouders over hem vertelde, het was met Pasen, twee jaar geleden, we zaten aan de grote tafel in de woonkamer, narcissen op tafel en bergen eten, we hadden de hele dag in de keuken gestaan, mijn moeder, Stella en ik. Pasen viel vroeg dat jaar en het zag er somber uit buiten. Die herinnering kleeft voor mij op een onplezierige manier aan de paasviering, ik moest er afgelopen Pasen weer aan denken; ik vond de sfeer aan tafel stijf, hoewel Stella er toen niet bij was, of misschien juist daarom. Gabriel en zij kenden elkaar nog maar kort toen ze over hem vertelde, ze had het net uitgemaakt met haar vorige vriendje, Erik; hij had eigenlijk aan het paasmaal zullen zitten, dat was allang afgesproken. Mijn ouders begrepen Stella helemaal niet toen ze zei dat ze niet meer verliefd was op Erik, een dergelijk argument werkte bij hen niet. Ze zeiden dat hij zo aardig voor haar was, ze hadden het over de mooie flat die hij had gekocht, waar Stella pas in was gaan wonen. Stella zei weer dat ze niet meer verliefd op hem was, al heel lang niet meer. Mijn moeder vroeg hoe Stella de praktische problemen dacht op te lossen: waar ze moest wonen, hoe ze in haar onderhoud zou voorzien. Stella schreeuwde tegen haar, dat was lang niet gebeurd, niet sinds Stella uit huis was. Toen mijn moeder begon te huilen ging Stella van tafel. Ik denk er nog steeds niet graag aan terug.

'Jullie lijken niet heel erg op elkaar,' zegt Gabriel. 'Jij en Stella.'

'Zij lijkt meer op mijn moeder. Zowel uiterlijk als in haar manier van doen.'

'En jij lijkt op je vader?'

'Ja, of op de moeder van mijn vader toen ze jong was... en op mijn tantes van vaderskant.'

Het lijkt of Gabriel iets wil zeggen, maar hij houdt zich in en schenkt nog wat wijn in mijn glas.

'En wat doe je in Stockholm?' vraagt hij. 'Wat studeer je?'

'Kunstwetenschappen.'

'En nu moet je een scriptie afmaken? Waarover?'

Ik haal mijn schouders op.

'Dat weet ik nog niet precies, maar ik ben van plan iets over Dante Gabriel Rossetti te schrijven. Misschien over literaire thema's in zijn schilderijen. Maar dat weet ik nog niet zeker.'

Hij knikt en glimlacht naar me.

'Een goeie keus.'

Ik glimlach ook.

'En verder?' vraagt hij. 'Werk je?'

'Nee.'

'Heb je een vriendje?'

'Ja.'

Hij knikt weer en het lijkt net of hij verwacht dat ik er meer over zeg.

'Ja, hij heet Peet... Peter,' begin ik. Gabriel glimlacht nog wat breder, omdat het rijmt. Ik glimlach ook, maar tegelijkertijd voel ik me een beetje beschaamd. Dat komt door zijn blik; er valt moeilijk uit op te maken wat hij van de simpelste feiten vindt.

'Wilde hij niet mee hiernaartoe?' vraagt Gabriel.

Ik schud mijn hoofd.

'Nee, hij zit nu in Spanje. Met vrienden.'

'O.'

Ik ben blij met de manier waarop hij dat zegt, simpel constaterend, alsof hij precies begrijpt wat er achter de informatie schuilgaat dat Peter op vakantie is zonder mij en ik er verder niets over hoef te zeggen.

De zwarte kat verschijnt op de veranda. Gabriel lokt hem en klopt met zijn hand naast ons op de bank, hij springt erop, gaat liggen en lijkt meteen in slaap te vallen. Hij heet Nils, zegt Gabriel, hij is van zijn oma geweest. Daarna begint hij een ingewikkeld verhaal over een studiegenoot in Stockholm die in dezelfde buurt woonde als ik nu, ik lach, we lachen allebei. Opeens staat Stella in de deuropening, in haar nachthemd met een vest erover.

'Kunnen jullie de muziek wat zachter zetten?' vraagt ze. 'Ik moet slapen.'

Ze zegt het op een toon die vriendelijk klinkt, maar ik kan de ergernis erin horen. Stella kan haar gevoelens niet zo goed verbergen als ze denkt, dat heb ik allang door. Ik vraag me af of Gabriel het ook heeft gemerkt.

'Ja, natuurlijk,' zegt hij. 'Sorry, schat.'

Ik sta op van de bank.

'Ik denk dat ik ook maar naar bed ga,' zeg ik.

'Saaie trienen,' mompelt Gabriel, maar hij zegt het met een glimlach. 'Dan probeer ik misschien nog wat te werken.'

Als Stella belt, ben ik wakker en bezig mijn kleren in de kast op de logeerkamer op te hangen. Ik laat de telefoon heel vaak overgaan, totdat ik besef dat Gabriel slaapt of werkt en niet zal opnemen.

'Dat duurde lang,' zegt Stella. Ze klinkt gestrest.

'Ik wist niet of ik moest opnemen.'

'Heb je lekker geslapen? Was het niet te warm?'

'Nee, het was prima.'

'Wil je nog steeds naar de stad komen vanmiddag?'

'Ja, natuurlijk.'

Ze begint me instructies te geven over hoe laat de bus gaat en waar we elkaar kunnen treffen, daarna zegt ze dat ze iets moet regelen en beëindigt snel het gesprek. Ik ontbijt op de veranda terwijl ik een *Dagens Nyheter* doorblader die ik in de keuken heb gevonden; het is een dunnetje, er is schijnbaar weinig nieuws. Ik vraag me af wie de krant uit de bus heeft gehaald, Gabriel of Stella, of Gabriel wakker is, ontbeten heeft en achter zijn bureau op het glazen balkon is gaan zitten werken, of dat hij nog steeds boven in bed ligt. Het huis is stil, het is vandaag alweer zo warm. Ik bedenk dat ik een jurk zou moeten aantrekken in plaats van een spijkerbroek, maar ik ben zo bleek en wil mijn benen nog niet laten zien. Stella is prachtig bruin, ze is van de zomer veel buiten geweest, ook al heeft ze nog geen vakantie gehad. Ze heeft buitenshuis gewerkt en in de weekends in de tuin gezeten. Ze zag er zo fris uit in haar lichte zomerkleren gisteren, ze ziet er altijd fris uit; zelfs in werkkleding – ze draagt altijd een oud herenoverhemd en een spijkerbroek – en met opgestoken haar lijkt ze zo uit een modereportage weggelopen, zelfs als ze in de aarde wroet.

Ze werkt bij de plantsoenendienst van de gemeente, het is haar taak om te bepalen welke bloemen in welke potten in de stad geplant moeten worden, en welke struiken in welke perken en wanneer en hoe bomen gesnoeid moeten worden, en in welke bomen in december lichtjes gehangen moeten worden. Ze is de jongste die ooit die gemeentelijke aanstelling heeft gehad, en bovendien de eerste vrouw; mijn ouders vertellen dat altijd trots als ze met iemand over haar praten.

Ze wacht op me bij het busstation naast het treinstation.

'Jee, wat is het warm,' is het eerste wat ze zegt. 'Hoe hou je het daarin uit?' Ze knikt naar mijn spijkerbroek.

'Dat gaat best.'

'Zullen we naar een rok voor je gaan kijken?'

'Nee.'

'Waarom niet?'

Ik zucht en herinner me opeens hoe koppig ze kan zijn zonder dat ze het zelf doorheeft.

'Ik heb een jurk bij me. Die wilde ik alleen vandaag niet aan.'

Ze knikt, lijkt toe te geven. We lopen rond door het centrum van de stad, eerst zwijgend, maar al gauw begint Stella te praten over het uitplanten van die ochtend, ze wijst naar een paar betonnen potten met lavendel en een paar andere paarse bloemen waarvan ik de naam niet weet, ze kijkt tevreden als ik zeg dat het mooi is. Voor een café blijft ze staan.

'Zullen we een kopje koffie drinken?' Ze kijkt me aan.

'Best.'

Stella kiest een tafeltje in de schaduw en vraagt de serveerster om mineraalwater en koffie. Ik heb trek en als ik doorkrijg dat Stella van plan is ook voor mij te betalen, bestel ik een broodje.

'Heb je Gabriel vandaag nog gesproken?' wil ze weten.

'Nee, ik wilde niet naar boven gaan, ik dacht dat ik misschien zou storen.'

Ze knikt, leunt achterover op de stoel en schuift haar zonnebril op haar voorhoofd. Ik zie hoe haar pupillen kleiner worden, ook al zitten we in de schaduw. We hebben dezelfde kleur ogen, een moeilijk te omschrijven grijsblauwe kleur. We mogen dan misschien niet heel erg op elkaar lijken, maar onze ogen volgens mij wel.

Stella kucht even.

'En hoe gaat het met Peter?' vraagt ze.

Ik weet niet of ze bedoelt hoe het met hem is, of hoe het tussen hem en mij is, maar dat maakt niet uit, bedenk ik; ik weet het allebei niet.

'Ik weet het niet.'

Ze kijkt me verbaasd aan, bijna geërgerd, alsof ze geen eerlijk antwoord had verwacht.

'Hij is in Spanje met vrienden,' zeg ik.

'Zonder jou?'

Ik haal mijn schouders op. Ik wil het niet over Peter hebben. Sinds ik hier ben heb ik nauwelijks aan hem gedacht, en dat beviel me uitstekend. Stella lijkt het te begrijpen.

'Ik had bedacht dat we boodschappen konden doen voordat we naar huis gaan,' zegt ze. 'Is er iets waar je speciaal trek in hebt?'

'Nee, ik zou het niet weten.'

'Gabriel maakt vaak zalm klaar op de barbecue, dat is altijd erg lekker. Hij gebruikt een geheime marinade.'

Ze glimlacht en ik knik.

'We kunnen er aardappels in dillesaus bij doen,' gaat ze verder. 'De dille groeit als onkruid, we kunnen alles wel in dillesaus koken. Oké dan.'

Ze tilt haar tas op om weg te gaan en trekt haar zonnebril weer van haar voorhoofd naar haar neus.

'Dan gaan we.'

Ik ben alleen thuis. Gabriel is met Stella de stad in voor inkopen en om bankzaken te regelen. Het is bijna halftwaalf als ik wakker word. Ik heb wel lang geslapen, maar niet goed; ik slaap helemaal niet goed sinds ik hier ben. Het is een onrustige slaap, ik word een paar keer per nacht wakker en slaap tussendoor zo diep dat ik gedesoriënteerd wakker word; ik heb het idee dat ik begin te dromen zodra ik in bed lig en mijn ogen sluit. Er hangt een muffe lucht in de kamer, ook al heb ik overdag en 's avonds het raam openstaan. Ik denk dat het misschien in de muren of in het fundament zit: schimmel, iets verkeerds.

Het is nog steeds genadeloos mooi weer. Ik douche lang, ook al heeft Stella me gevraagd of ik zuinig wil zijn met water; de badkamerspiegel is beslagen, ik veeg het waas weg met mijn handpalm en kijk naar mijn gezicht. Ik bedenk dat er iets vreemds aan is, dat mijn trekken te rond zijn, te week, alsof ze vervagen. Stella en ik verschillen in dat opzicht, alles aan haar gezicht is scherper en duidelijker, het ziet er geraffineerder en eleganter uit, intelligenter zelfs, dat heb ik altijd al gevonden. Ik kijk naar mijn mond, vind dat mijn lippen er opgezet uitzien, vlezig, op een ordinaire, bijna vunzige manier.

Ik loop een rondje door de tuin om mijn haar in de zon te laten drogen. Het is nu te warm voor een spijkerbroek; de hitte heeft me doen besluiten de enige jurk aan te trekken die ik bij me heb en ik kijk naar mijn benen, mijn voeten in het gras. Ik lijk bleek. Het is de eerste keer in lange tijd dat ik op blote voeten loop. Er zoemen hommels in bloemetjes in het gras en ik kijk goed uit dat ik er niet op ga staan. Lang geleden, misschien de laatste keer dat ik op blote voeten over het gras heb gelopen, ben ik per ongeluk op een onrijpe appel gaan staan die uit de boom gevallen was, en waar een wesp op zat. We speelden croquet bij onze ouders in de tuin, Stella ging toen met Erik; hij, Stella en ik waren met z'n drieën bezig. Stella had bijna gewonnen toen ik op de wesp stapte en we moesten stoppen met spelen. Als ik eraan terugdenk, kan ik de steek in mijn voet nog bijna voelen en ik hoor Stella's stem in mijn hoofd, die een paar keer zei: 'Het is niet erg, het is maar een wespensteek.' Maar mijn voet werd dik en ten slotte begon ik te huilen. Toen zwichtte ze, en Erik en zij brachten me naar het gezondheidscentrum. De arts zei dat ik waarschijnlijk allergisch was voor insectenbeten.

Ik ga naar binnen. Ik loop doelloos de woonkamer in en door naar de hal, de trap op naar boven, door de slaapkamer van Stella en Gabriel heen naar het glazen balkon met Gabriels bureau. Het is oud en gemaakt van donker hout; het ziet er zwaar uit. Het ligt bezaaid met boeken en stapels papieren, en er staan een paar kopjes van wit-met-blauw porselein met opgedroogde koffie op de bodem. Op een stapel oude kranten troont een overvolle asbak, gemaakt van mozaïek in turquoise tinten met een koperen dolfijn die opspringt uit een schuimende golf. Ik moet erom glimlachen, het ziet er zo kitscherig uit. In een terracotta bloempot op de grond staat een gigantische engelentrompet met bloemen die bijna uitkomen; de zwellende knoppen lijken net grote groene poppen waaruit zich elk moment iets los kan maken. Op een zuil tussen twee ramen zijn een paar ansichtkaarten gespeld: de *Grote Golf* van Hokusai, een madonna met holle ogen van Munch, een van Rosetti's roodharige vrouwen, Gabriel en ik zijn er allebei even dol op. Eronder, op de vensterbank, liggen een paar dode vliegen. Het is warm en vochtig als in een broeikas en aan de binnenkant van de ruit zoeken kleine waterdruppels zich langzaam een weg naar beneden.

Gabriel heeft zijn computer aan laten staan. Op het scherm draait een blauw blokje rond, dat langzaam in een bol verandert. Ik beweeg voorzichtig met de muis om de screensaver uit te schakelen, en een Word-document vult het scherm. Snel draai ik mijn hoofd om, een instinctief gebaar, om te kijken of niemand me ziet. Vervolgens ga ik voorzichtig op het puntje van de bureaustoel zitten, die ziet er net zo oud uit als het bureau, een bureaustoel op wieltjes, met een rugleuning met spijlen en een zitting van donkergroen leer die met koperen nagels bevestigd is. Er zijn maar twee regels tekst te zien op het scherm, het lijkt wel het slot van een gedicht: 'deint langzaam in haar lange wade meegenomen... ginds in de bossen wordt een ver geschal gehoord.' De woorden komen me niet bekend voor en ik wil net omhoogscrollen wanneer ik het gedempte geluid hoor van een dichtslaand portier. Ik verstijf even en sta vervolgens zo snel op dat de stoel bijna achter me omvalt. Ik krijg een armleuning hard tegen mijn dijbeen; dat wordt vast een blauwe plek, schiet het nog door me heen. Ik moet de screensaver weer activeren en klik op Bureaublad, Eigenschappen, Screensaver, hoe heet die met die kubus die een bol wordt? Ik realiseer me dat ik hem niet op tijd aan zal kunnen krijgen, ik hoor het knerpende geluid van voetstappen op het grindpad al. Ik loop snel de slaapkamer door en probeer te kalmeren voor ik de trap af loop. Op dat moment gaat de deur open en stapt Gabriel de hal binnen, beladen met tassen, de houtjes van het bamboegordijn vrolijk dansend achter hem. Hij kijkt me aan.

'Hé, hallo,' zegt hij op licht verbaasde toon.

'Hoi.'

Ik glimlach naar hem.

'Wat doe je?' vraagt hij.

'Ik zoek Nils.'

'Die is buiten. Ik zag hem net in de voortuin.'

Ik knik. Hij blijft me aankijken en zet de tassen op de grond.

'Hoe was het in de stad?' vraag ik.

'Goed. Het was fijn een paar mensen te zien. Hoe is het met jou? Je ziet bleek.'

Ik breng mijn hand naar mijn voorhoofd, een pure reflex.

'Ik heb een beetje hoofdpijn,' zeg ik. 'Van de warmte, denk ik.'

Ik heb genoeg van mijn bleke lijf; ik heb het gevoel dat alleen daarin Stockholm nog macht over mij toont, het bewijst dat ik veel te veel binnen heb gezeten zonder leuke dingen te doen. Ik heb een van de terrasstoelen op het gazon gezet, waar de zon de hele dag op staat. Ik durf nog niet in bikini, ik ben nog te wit en wil niet zoveel lichaam tonen. In een korte broek en een hemdje voel ik me al ontkleed genoeg. Als ik een poosje in de zon zit, word ik wat moediger; ik trek mijn hemdje een eindje omhoog en toon mijn buik aan de zon. Achter mij bloeien de laatste rozen in de perken, en lavendel en hier en daar duizendschoon. Een kleine aalbessenstruik lijkt bijna te bezwijken onder grote trossen glimmende rode bessen, ik heb er een paar van gegeten; die had ik minstens zo lang niet meer geproefd als peultjes, maar toch was de smaak bekend, alsof het nog maar pas geleden was. Ik houd van aalbessen ook al smaken ze voornamelijk zuur, ik houd van de consistentie, ik houd ervan een bes in mijn mond te pletten, door het schilletje heen te bijten en te voelen hoe de stroeve pitjes zich door mijn mond verspreiden.

Ik doezel weg in de zon. Wanneer ik wakker word, kijk ik

meteen op mijn horloge; ik heb bijna een halfuur geslapen. De wolken die aan de hemel waren toen ik op het gras ging zitten zijn helemaal verdwenen; de lucht is nu hoog en blauw en alle voorwerpen zijn surrealistisch scherp. Zelfs in de verte, aan de horizon aan de andere kant van de velden, laat het atmosferisch perspectief hemel en aarde niet in een lichtblauwe sluier vervagen. Hetzelfde met de geuren: scherp, penetrant, alsof ze in de lucht geen enkele weerstand ontmoeten. Zodra ik wakker word, ruik ik de zuivere chemische geur van verf. Die is opdringerig en koel, alsof hij ingeademd wil worden, en ik gehoorzaam, zuig hem gulzig op in mijn longen. Ik heb altijd al van dat soort prikkelende geuren gehouden: de geur van garages, van benzine en uitlaatgassen, van dikke zwarte viltstiften, terpentijn, Karlssons-lijm. Het is de geur van mijn vader, bedenk ik, en opeens besef ik dat al mijn herinneringen aan dat soort geuren met hem verbonden zijn.

We zouden een keer samen mijn kamer schilderen, ik was een jaar of twaalf, dertien, en vond opeens alles in mijn kamer wat ik niet zelf had uitgezocht hopeloos kinderachtig, dus alles wat roze was moest wit geschilderd worden en dat zouden we samen doen, mijn vader en ik. Ik herinner me de bus witte glansverf en dat de hele kamer ernaar rook. Ik weet nog dat ik op bed ging liggen, mijn ogen dichtdeed en de prikkelende geur inademde, dat mijn wangen warm werden en dat ik een beetje licht werd in mijn hoofd, beneveld bijna, ook al had ik dat toen niet door. Ik weet nog dat ik dacht dat het vast niet goed was om die verfdampen in te ademen, maar dat ik het toch prettig vond.

Ik doe mijn ogen nu ook dicht, stel me voor dat een geur die zo puur is alleen van witte verf afkomstig kan zijn, het witste wit, lichtgevend bijna, zoals wit onder uv-licht. Maar in dit geval is de verf smoezelig roodbruin. Gabriel is het oude kippenhok aan het schilderen, waar Stella haar tuingereedschap bewaart bij een heleboel rommel die daar al vijftig jaar staat, misschien wel honderd jaar, misschien nog langer. Ik zie hem van een afstand, hij lijkt geconcentreerd, ik stel me voor dat hij met zijn gedachten helemaal niet bij het verven is, maar ergens anders. Ik blijf naar hem kijken totdat ik me begin te schamen omdat ik sta te gluren en loop dan naar hem toe.

'Hoi.'

Geschrokken draait hij zich om.

'Je laat me schrikken.'

Hij kijkt bijna beschaamd, alsof hij ergens op betrapt is.

'Sorry, dat was niet de bedoeling.'

'Geeft niet.' Hij glimlacht even. 'Hoe is het?'

'Ja, goed... ik ben alleen in slaap gevallen in de zon. Ik ben bang dat ik verbrand ben.'

Hij bekijkt me, kijkt naar de delen van mijn lichaam die niet door kleren zijn bedekt: naar mijn armen en benen, en snel even naar de lage hals van mijn topje.

'Heb je dat gevoel?'

Ik vind het een beetje vervelend zoals hij naar me kijkt, hij vindt me vast bleek, verkeerd op de een of andere manier; hij zal me wel lelijk vinden. Maar zijn blik verraadt daar niets van. Ik vraag me af wat hij denkt.

Er is een haarlok in zijn ogen gevallen, die strijkt hij met zijn hand opzij, waardoor hij een bruinrode streep op zijn voorhoofd krijgt. Wanneer hij naar zijn hand kijkt en ziet dat die onder de verf zit, heeft hij dat zelf ook door.

'Heb ik nu rood op mijn voorhoofd?'

'Ja.'

Ik glimlach. Hij ook, een beetje beschaamd weer.

'Is het erg?'

'Nee, niet zo... Wacht.'

Ik doe een stap naar voren en ga voorzichtig met mijn duim over de streep op zijn voorhoofd. Hij kijkt me aan, nu zonder glimlach. Het lijkt wel of de verfgeur in de warme, stilstaande lucht blijft hangen en nog sterker wordt. De lok valt weer op zijn voorhoofd; ik schuif hem voorzichtig weg om bij de verf te kunnen. Ik voel zijn adem op mijn wang; hij is nu dichtbij, buigt zijn hoofd naar me toe zodat ik erbij kan. Zijn voorhoofd is gebruind, net als zijn hele gezicht en zijn armen. Hij draagt een verwassen zwart T-shirt en hij ruikt lekker, warm.

'Lukt het?' vraagt hij.

'Ja... nu is het weg.'

Ik laat hem mijn handpalm zien, rode verf op mijn duim en wijsvinger, en plotseling pakt hij mijn pols vast, draait mijn hand om en bekijkt mijn vingers. Het is een snelle beweging, resoluut, en ik bedenk dat zijn greep hard is, net als toen hij me groette op de avond dat ik hier aankwam, die stevige handdruk. Misschien is hij zich niet bewust van zijn kracht.

'Wat een mooie nagellak,' zegt hij.

Ik heb gisteravond mijn nagels koel roze gelakt; ze glimmen dof en parelmoerachtig in de zon.

'Dank je,' zeg ik zacht.

Mijn wangen gloeien. Hij laat mijn hand los, glimlacht naar me.

'Volgens mij staat er een fles terpentine onder het aanrecht,' zegt hij. 'Voor als je de rode verf wilt verwijderen.'

Ik wrijf mijn vingers langs elkaar. Het roodbruine pigment van de verf gaat in de kleine lijntjes van mijn vingertoppen zitten, zodat het patroon erin duidelijk zichtbaar wordt; het lijken wel de jaarringen van een boomstam.

'Nee, dat hoeft niet. Ik wilde je vragen of ik iets kan doen. Het gras maaien of zo? Stella zei dat dat moest gebeuren.'

'Dat wilde ik vanavond doen.'

'Maar ik doe het graag.'

'Dat hoeft niet.'

Het gazon is echt verwilderd en ik zie in dat het lastig te maaien zal zijn. Het is een groot terrein en Gabriel heeft niet eens een gewone grasmaaier, maar een oude, zonder motor, die nog van zijn opa is geweest. Ik herinner me dat Gabriel een hekel heeft aan dingen die lawaai maken.

'Ik heb het gevoel dat ik ergens mee zou moeten helpen,' zeg ik. 'Ik doe immers niets.'

'Je kunt toch met je scriptie aan de slag?'

Ik zucht en trek moedeloos mijn wenkbrauwen op. Hij glimlacht, kijkt peinzend naar me, en ik zie dat zijn blik even bij mijn benen blijft steken voordat hij hem snel weer opricht en uitkijkt over de velden, naar de horizon.

'Ik heb een voorstel,' zegt hij aarzelend. 'Als je echt ergens mee wilt helpen?'

'Ja, absoluut.'

'Kom dan maar mee.'

Op het glazen balkon staat de computer aan en de kubus van de screensaver beweegt zich loom over het beeldscherm. Gabriel slaat een toets aan en komt in een Word-document terecht. Hij scrolt terug naar het begin.

'Ga zitten.'

Hij rijdt de oude bureaustoel naar achteren en knikt ernaar.

Een van de bloemen van de engelentrompet is uitgekomen. Hij is gigantisch en ziet er tropisch uit, alsof hij helemaal niet thuishoort op het balkon, maar ergens in een oerwoud zou moeten staan. Er komt een zoete geur vanaf, de lucht lijkt wel geparfumeerd. Ik voel me slap, ik zou meer moeten drinken; als het zo warm is als nu moet je veel drinken. Gabriel zet de grote asbak met de dolfijn op de grond en opent een van de ramen van het balkon, terwijl ik op de stoel ga zitten.

Er staat een lage boekenkast tegen de verste balkonmuur. Daarop balanceren stapels kranten en tijdschriften, paperassen, mappen en boeken. De onderste plank staat vol met een rij van allemaal dezelfde lichtgrijze boekenruggen. Wanneer Gabriel me ernaar ziet kijken, bukt hij en trekt er een boek uit. Op de voorkant ligt een vrouw verzonken in een vijver, omgeven door bloemen. Als je het boek gelezen hebt, weet je dat ze dood is. *Ophelia* staat er boven de afbeelding.

'Heb je dit boek?' vraagt Gabriel.

'Nee.'

Hij reikt het me aan.

'Hier, pak aan. Maar je mag het nu niet lezen. Het nieuwe is veel beter.'

Hij knikt naar het beeldscherm.

'Zou je daarnaar willen kijken? Ik kan het later voor je uitprinten als ik inkt heb gekocht voor de printer, zodat je niet meer van het scherm hoeft te lezen.'

Hij laat me alleen achter aan het bureau en ik hoor hem de trap af lopen. Ik kijk naar de tekst op het scherm. Dit heeft Stella niet gelezen, dat weet ik, ze heeft gezegd dat ze niet eens weet waar zijn nieuwe boek over gaat, dat hij niet met haar over zijn schrijven lijkt te willen praten. Ik zal dit niet aan haar kunnen vertellen.

Even later zie ik Gabriel over het grasveld naar het oude kippenhok lopen. Ik denk aan zijn greep om mijn pols en raak die gedachte niet kwijt. Ik doe mijn ogen dicht, speel de scène nog eens af in mijn hoofd: hoe hij mijn hand stevig vastpakt en hem omdraait om mijn nagels te bekijken, zijn hand die de mijne vasthoudt.

Ik blijf naar hem kijken, totdat hij al schilderend de hoek van de schuur omgaat en ik hem niet meer kan zien. Dan begin ik te lezen.

Toen Gabriels eerste roman uitkwam, zat ik nog op de middelbare school. Een vriendin had het boek gekocht en zei dat ik het ook moest lezen, ik mocht het van haar lenen en ik weet nog dat het boven op de stapel tijdschriften naast mijn bed lag met die mooie glimmende omslag. Ik las het snel, zoals ik bijna alles las in die tijd, een soort boulimisch lezen om zo veel mogelijk boeken af te werken, om er zo veel mogelijk te verslinden om ze te kunnen afvinken op een denkbeeldig lijstje. Misschien omdat ik niet zoveel anders te doen had in die jaren; met een heleboel gelezen boeken achter me kon ik in elk geval het gevoel hebben dat ik mijn tijd nuttig had besteed. Ik heb slechts vage herinneringen aan Gabriels boek, maar ik weet nog dat ik het mooi vond. Ik herinner me een plakkerig gevoel van liefde op de rand van bezetenheid, dat zo goed beschreven was dat het voelde alsof ik het zelf had ervaren.

Ik zit al een paar uur achter de computer als ik Stella's auto over de grindweg hoor naderen. Dan sta ik op en neem mijn *Ophelia* mee naar beneden. Ik voel me een beetje licht in mijn hoofd nadat ik zo lang achter het beeldscherm heb gezeten. Door het keukenraam kan ik Stella zien uitstappen en zwaaien naar een ouder echtpaar verderop op de grindweg. Ze zwaaien terug en ze loopt naar hen toe en blijft een paar minuten met hen staan praten, waarna ze zich omdraait en verdwijnt in de richting van waaruit ze was gekomen. Ze heeft een plastic tas met twee dozen aardbeien in haar hand als ze de keuken binnenstapt.

'Heb je het gelezen?'

'Wat?' vraag ik snel, en ik bedenk dat dat defensief klinkt, betrapt, maar ze lijkt het niet te merken.

'Heeft hij je dat boek gegeven?'

Ze knikt naar mijn hand.

'O. Ja, ja inderdaad.'

'Je had het toch al gelezen?'

'Ja, maar dat is lang geleden. Ik weet er weinig meer van.'

‘Het gaat over zijn ex,’ zegt Stella.

‘Is ze dood?’

Stella lacht.

‘Welnee. Ze heeft hem gedumpt.’

‘O ja?’

‘Hij is niet de gemakkelijkste om mee samen te leven,’ zegt ze zacht.

Die plotselinge ontboezeming overrompelt me en Stella kijkt zelf ook bijna verbaasd.

‘Wie waren die mensen?’ vraag ik om de gespannen stilte te verbreken die ontstaat. ‘Met wie je stond te praten?’

‘Anders en Karin,’ zegt ze, terwijl ze de aardbeien op het aanrecht zet. ‘Dat zijn onze naaste buren; het huis dat je aan de andere kant van het veld ziet is van hen.’

‘Wat wilden ze?’

‘Ze waren gewoon aan het wandelen.’

‘Over deze weg? Die houdt hier toch op?’

‘Ze lopen soms langs en houden gewoon een oogje in het zeil. Ze kijken of alles in orde is.’

‘Hoezo in orde?’

‘Zo doen ze dat op het platteland,’ zegt ze op licht geïrriteerde toon. ‘Als je een eind van je naaste buren af woont. Dat is toch mooi?’ Ze kijkt me vragend aan.

‘Ja, natuurlijk.’

‘Wat heb jij vandaag gedaan?’ gaat ze verder.

‘Niets bijzonders.’

‘Ben je al aan je scriptie begonnen?’

‘Nee, nog niet.’

‘Kun je daar niet beter snel mee aan de slag gaan?’

‘Ja.’

Ze knikt, kijkt streng. Naast haar voel ik me soms nog steeds een kind, bedenk ik. Vroeger, toen ik klein was, kon ze haar teleurstelling ook niet verbergen als ik iets niet kon; dan had ze diezelfde uitdrukking van: ach ja, wat doe je eraan.

'Heb je de post opgehaald?' vraagt ze.

'Ik had eerder gekeken, maar toen was er nog niets.'

Stella kijkt ontevreden.

'Ik wacht op zaden,' zegt ze.

Ze ploft op een van de keukenstoelen neer. Ze ziet er moe uit, ze werkt te hard. De vorige stadshovenier was bijna zeventig toen hij stopte, half seniel. Ze is nog steeds de rommel aan het opruimen die hij heeft achtergelaten, bezig orde te scheppen in de papierwinkel, de administratie, de financiën. Ze heeft eigenlijk een assistent nodig, zegt ze, iemand die al het papierwerk kan afhandelen, zodat zij zich zou kunnen concentreren op het werk waarvoor ze is opgeleid. Ze had niet voorzien dat deze baan zoveel administratie zou inhouden.

'Hij heeft zulke foeilelijke bloempotten gekocht,' zegt ze. 'Grote plastic urnen, hoe heeft hij het kunnen verzinnen? Gigantisch veel. Er staan grote stapels van in de kelder, hoge torens van bloempotten, het lijken wel van die dingen die je op het terras van een pizzeria ziet. En het krankzinnige is dat er ook nog een heleboel oude bloempotten staan, grote schalen van ijzer, of brons, of wat het ook mag zijn... met ribbels aan de onderkant, net spitslobbige vrouwenmantels. Ze zijn helemaal groen uitgeslagen en stammen vast van rond de vorige eeuwwisseling. Maar ik heb nu geen geld, ik moet tot volgend jaar wachten voordat ik er iets mee kan doen. Nu mag ik blij zijn als ik genoeg geld bij elkaar kan schrapen voor een kerstboom op het plein.'

Ze lacht wat moedeloos.

'Misschien kunnen we een keertje samen lunchen?' stelt ze voor. 'Dan hoef je niet hele dagen hier thuis te zitten.'

Ik vind het voor de verandering moeilijk uit te maken of ze het aardig bedoelt of dat er iets achter zit.

'Ik ben hier toch omdat ik het leuk vind?' zeg ik, haar aankijkend in de hoop op een reactie, een rimpel in haar voorhoofd, iets, maar ze blijft vriendelijk glimlachen. 'Maar ik ga graag met je lunchen.'

Gabriel en ik zitten 's avonds op het terras. Daar zitten we bijna elke avond al zolang ik hier ben, hij en ik, Stella gaat vroeg naar bed. We gaan allebei lezen, we hebben ieder een boek bij ons. Ik heb er op goed geluk een uit de boekenkast in de woonkamer gekozen vanwege de mooie titel. De woonkamer is net een bibliotheek: alle boeken van Gabriels grootouders en die van hemzelf staan in rijen kasten tegen de muren, onderbroken door een wand die van onder tot boven vol hangt met schilderijen: Japanse houtsneden, stille Skåne-landschappen, een portret van een vrouw in een rode jumper achter een stilleven van fruit; dat is Gabriels oma, toen ze jong was in de jaren dertig, geschilderd door iemand die beroemd schijnt te zijn, maar van wie ik nog nooit heb gehoord, een huisvriend.

Het is vanavond vollemaan, we hebben hem langs de grote hemel zien trekken. Het is een nazomermaan, gloeiend oranjegeel boven de rijpe korenvelden. Gabriel bladert in zijn boek, maar lezen doen we nauwelijks, geen van beiden. Het duurt misschien een kwartier, een halfuur, voordat we beginnen te praten, en daarna haalt Gabriel de geluidsboxen van de stereo uit de woonkamer. Hij laat mij om de avond een plaat uitzoeken; vanavond is hij aan de beurt. We hebben het geluid zacht staan, Stella slaapt met het raam open. We praten ook zacht, bijna fluisterend soms, om haar niet wakker te maken. Gabriel praat het meest. Hij vertelt verhalen over mensen die hij kent en heeft gekend, roddels over schrijvers en journalisten. Van de helft van die personen heb ik nog nooit gehoord, maar hij legt me alles geduldig uit, haalt boeken uit de kasten in de woonkamer, laat achterflappen met foto's van schrijvers zien en doet verslag van intriges. Vooral van liefdesaffaires, ontrouw en schandalen. Van ruzies, meestal over banen en benoemingen, van kwaadsprekerij achter iemands rug om of in alle openheid: in een boek. Het zijn mensen die zo'n beetje alles wel schijnen te willen opofferen voor hun carrière.

Gabriel is veel van huis geweest na de publicatie van zijn vorige roman, die een succes was. Kranten maakten reportages over hem, hij deed tv-interviews, ging naar alle feesten en kende iedereen in Stockholm. Nu heeft hij nauwelijks meer contact met mensen uit die tijd; hij kijkt sneu als hij dat zegt. Zijn nieuwe roman was eigenlijk een paar jaar geleden al klaar, maar de uitgeverij was niet tevreden en wilde dat hij er een en ander aan zou veranderen, en het eind van het liedje was dat hij hem helemaal ging herschrijven. Hij is er nu bijna mee klaar, maar helemaal niet tevreden. Het liefst zou hij het boek nog een keer willen herschrijven, maar dat kan niet, dan komt het nooit af. Als hij dat zegt, kijkt hij weer sneu.

Ik vertel hem hoe goed mijn vriendin en ik *Ophelia* vonden, en dat ik zijn foto op de achterflap van het boek zo mooi vond: een zwart-witfoto waarop een jonge Gabriel tegen een berkenstam geleund zit, zo te zien in de lente; de kleine blaadjes aan de bomen laten nog veel licht door: flikkerend, impressionistisch voorzomerlicht. Gabriel draagt een zwart jasje en een wit overhemd, hij houdt een sigaret in zijn hand en kijkt recht in de camera. Ik vond hem er zo wereldwijs uitzien, onbereikbaar.

Hij lacht en zegt dat het lief van me is. Stella had nog nooit een boek van hem gelezen toen ze elkaar ontmoetten, vertelt hij. Ze wist nauwelijks wie hij was. Ze hebben elkaar leren kennen op een feest toen zij nog studeerde. Hij vertelt hoe mooi hij haar vond, bleek en rossig. Ik slik, moet mijn ogen afwenden en kijk naar de maan, die zich een eindje langs de hemel heeft verplaatst; het lijkt wel of hij steeds groter wordt.

Stella droeg een wit vest, zegt hij, en ik weet welk vest hij bedoelt. Ik was er jaloers op. Dat heeft ze een keer met kerst bij onze ouders thuis gedragen, een vest van wit angora. Ze had haar haar opgestoken en zag er streng en zacht tegelijk uit in haar soepele vest, als iemand met wie ik nooit had durven praten als ze mijn zus niet was geweest. Dat zeg ik tegen hem en hij lacht weer, zegt dat hij dat ook niet had gedurfd als hij niet had gedronken. Hij zegt dat ze er erg jong uitzag en kijkt me over zijn glas heen aan; hij lijkt iets te willen zeggen, maar doet het niet.

Als ik wakker word, zit Gabriel al op het terras de krant te lezen met zijn voeten op tafel naast een wit-met-blauw koffiekopje. De heldere lucht is heiiger geworden, maar het is niet minder warm. De hitte is nu anders, vochtig en drukkend, als voor een onweersbui. Er vliegen zwaluwen boven het grasveld; ze bewegen snel en schokkerig, trillend. Ze vliegen nu laag, vanwege het naderende onweer blijven de insecten waar ze op jagen dicht bij de grond. Dat heeft met de luchtdruk te maken; die duwt ze naar beneden, heeft Stella me uitgelegd. Mijn hoofd voelt breekbaar aan, alsof zich daarbinnen een hoofdpijn aan het ontwikkelen is die zich weldra kenbaar zal maken en fonkelende pijnimpulsen zal sturen die tegen mijn voorhoofd en mijn slapen zullen stuiteren, als in een bolbliksem. Ik bedenk dat ik preventief een pijnstiller zou moeten innemen, ik denk aan het koel ritselende folie van de tablettenstrip.

‘Ik had het gras willen maaien, maar in deze hitte trek ik dat niet,’ zegt Gabriel. ‘Er staat koffie, als je wilt.’

Wanneer ik terugkom met mijn koffie en een broodje geeft hij me een katern van de krant. Ik sla het open, maar lezen lukt niet. In plaats daarvan kijk ik naar Gabriel, die half verborgen zit achter zijn katern. Hij draagt ook vandaag weer een

T-shirt. Ik kijk naar zijn armen, hoe gebruind die zijn. Hij legt zijn krant op tafel en kijkt me even aan. Ik ontmoet zijn blik en glimlach; hij glimlacht terug, kijkt verstrooid naar het recept van de dag op de achterpagina van de krant: gerookte makreel met een of andere koude saus. Dan schuift hij de krant opzij.

'Wat zou je ervan vinden... om te gaan zwemmen?' vraagt hij.

'Ja, leuk... Waar dan?'

Hij haalt zijn schouders op.

'Waar je maar wilt. Er is een meer, je loopt er in tien minuten heen. Of we rijden naar zee. Dat is niet zo ver.'

'Naar zee klinkt goed.'

Hij staat op.

'Ik ga handdoeken halen.'

In de tuin lijken alle planten verzwakt door de hitte. De bloemen van de Oost-Indische kers laten hun oranje kopjes hangen en zien er slapjes uit. Dat komt van de droogte. Je mag eigenlijk geen water geven, maar Stella loopt toch elke avond met haar grote gieter een rondje door de tuin. Je mag overdag geen water geven, heeft ze me geleerd, dan droogt het water direct op. Het verdampt nog voordat het door de bovenste laag aarde heen is en levert de planten niets op. Toch krijg ik zin de verzwakte kers te besproeien.

Als ik hem van dichtbij bekijk, zie ik dat de onderkant van de bladeren vol bladluis zit. Ze zitten in zwarte klompjes bij elkaar, ook op de bloemstengels; die zitten er helemaal onder, zodat ze dik en zwart en bobbelig lijken. Hoe beter ik kijk, hoe meer luizen ik zie. Ten slotte heb ik bijna het idee dat ze zich voor mijn ogen vermenigvuldigen, dat de klompjes aan de onderkant van de bladeren langzaam opzwellen en groter worden. Ik draai me vol afschuw om.

Gabriel geeft me een handdoek.

'Er zit luis op de Oost-Indische kers,' zeg ik.

'Dat is elk jaar hetzelfde.'

De auto is zo heet als een sauna. De zon heeft op de bekleding gestaan en die brandt door mijn rok heen tegen mijn bovenbenen. Het ruikt benauwd, naar warme kunststof. Als Gabriel de contactsleutel omdraait, gebeurt er niets. Hij probeert het nog een paar keer, maar de auto wil niet starten.

'Wat is dit nou, verdomme?' mompelt hij geërgerd.

Na zeker vijftien pogingen geeft hij het op, laat de sleutels in het contact hangen en leunt moedeloos achterover op zijn stoel.

'Zullen we dan maar naar het meer gaan?' zeg ik.

Hij kijk naar me, slaat me een paar seconden gade, maar antwoordt niet. Ik kijk hem recht in de ogen. Ik heb me niet eerder afgevraagd welke kleur ze hebben, en dat is ook moeilijk te zien. Ik hoor hem diep inademen, vervolgens buigt hij zich naar me toe en legt een hand achter mijn hoofd, trekt me vastberaden naar zich toe en kust me. Zijn zoen is ook vastberaden, hij wrikt mijn lippen bijna van elkaar, hongerig, en ik laat hem begaan, laat zijn tong binnenkomen. Hij smaakt naar koffie en ruikt nu ook lekker, dezelfde geur als toen ik de verf van zijn voorhoofd veegde. Ik sla mijn armen om hem heen. Hij ademt zwaar. Ik voel zijn hand door de stof van mijn jurk heen, voel hem over mijn rug glijden. Ik ril van welbehagen en duw mezelf dichter naar hem toe. Dan stopt hij, slaat een hand tegen zijn voorhoofd en kijkt bijna getergd. Zijn gezicht glimt, het is vast wel zo'n veertig, vijfenveertig graden in de auto, misschien meer.

'We...' begint hij, maar hij onderbreekt zichzelf.

Hij opent het portier aan de bestuurderskant, stapt uit en haalt een hand door zijn haar.

'Ik ga Anders bellen om te vragen of hij tijd heeft om naar de auto te komen kijken.'

'Oké,' zeg ik.

Gabriel is nu halverwege het grindpad, hij loopt met snelle pas. Ik doe het portier aan mijn kant open en voel mijn benen trillen als ik mijn voeten op het grind naast de auto zet. Hij blijft staan en draait zich om.

'Als je wilt zwemmen, de weg naar het meer wijst zich vanzelf,' zegt hij. 'Je volgt de weg tot je na een minuut of vijf aan je rechterhand een pad het bos in ziet. Je kunt het niet missen.'

'Oké,' zeg ik weer.

Gabriel verdwijnt het huis in. Ik pak mijn handdoek en loop naar de weg.

Het is een klein meer. De bomen eromheen zijn hoog en recht. Van een afstand lijkt het water zwart, maar het is gelig en verrassend warm. Er is een strandje en er ligt zand op de bodem, maar dat zakt weg onder mijn voeten en ik voel dat er modder onder zit: een dunne laag licht zand op een zwarte, modderige ondergrond. Misschien voelt drijfzand zo, bedenk ik, en ik durf niet te lang op één plaats te blijven staan, bang dat de bodem van het meer onder mijn voeten mee zal geven, me vast zal houden en naar beneden zal trekken. Er is geen mens bij het meer. De hele natuur houdt zich stil, op een vogel na die een langgerekte schreeuw laat horen; ik vraag me af wat voor soort het zou kunnen zijn. Een parelduiker misschien, maar ik ben slecht in het herkennen van vogelgeluiden. Het is een naar geluid. Ik bedenk dat er vast kreeften in het meer zitten, ik zie ze al voor me, krioelend zwart op de bodem, in grote klompen, net als de bladluizen.

We hebben laat leren zwemmen, Stella en ik. Op de een of andere manier had ik het gevoel dat ik het nooit nodig zou hebben, en ik denk dat dat voor Stella ook gold. Toen we klein waren gingen we in de vakantie altijd naar een huisje aan zee, naar Zweedse zandstranden met water dat lang ondiep bleef, bloeiende rimpelroos, gestrande kwallen en stroef grijsgroen strandgras. Het zand bij de waterkant was hard, soms geribbeld door de golven op een manier die te mooi leek om waar te zijn, onnatuurlijk, alsof iemand de hele waterkant had aangeharkt, net als het grindpad voor de kerk wanneer we daar de jaarafsluiting van school vierden. We zaten op de zandbodem bij de waterkant, waar het water het warmst was, kropen rond met onze handen op de bodem, als krokodillen in het lauwe water, we gooiden met de bal en sprongen in de golven, maar ik kan me niet herinneren dat we zwommen. Ik herinner me niet dat Stella ooit zwom, hoewel ze een stuk ouder is dan ik. Daarna werd de zwemles op school één lange kwelling. Alle andere kinderen hadden in de zomervakantie al leren zwemmen en ik moest onhandig ronddrijven met een zwemkussen om mijn middel; het leek wel alsof ik twee grote uitwendige oranje longen op mijn rug had. De geur van chloor was bijtend en het zwembad lelijk en ik voelde duidelijk, ook al kon ik het toen niet zo formuleren: water was niet mijn element. Ik heb uiteindelijk wel leren zwemmen, als laatste van mijn klas en bijna tegen wil en dank, maar ik vind er nog steeds niets aan. Ik weet niet hoe Stella erover denkt, we hebben het daar jaren niet over gehad.

Nu doe ik met een mengeling van angst en verrukking mijn ogen dicht en laat me onder water zakken. Ik voel nu ook duidelijk dat ik niet thuishoor in het water, maar ik bedenk dat dat misschien kan veranderen, dat ik misschien iemand anders kan worden. Dat ik misschien al aan het veranderen bén. Hoewel het water warm is, te warm bijna, voelt het koel aan op mijn gezicht. Ik denk aan Gabriels zoen, zijn hand resoluut achter mijn hoofd, om mijn nek. Als ik onder water mijn ogen opendoe, zien mijn handen er wit uit in al het geel en lijkt mijn nagellak oranje. Het ziet er groezelig uit, smerig.

Ik ga op mijn rug liggen en voel dat mijn haar rond mijn gezicht over het wateroppervlak uitwaaiert. Een paar zwarte elzenkatjes dobberen even verderop op het water en een libel beweegt schokkerig vlak boven de waterspiegel.

Ik zou hier kunnen verdrinken en sterven zonder dat iemand het merkt, bedenk ik. Ze zouden in het meer dreggen naar mijn lichaam en het weggezakt in de modder terugvinden. Ik vraag me af of hier paling zit; palingen zijn aaseters, ze eten verdronken mensen op. Ik durf mijn voeten niet te ver naar beneden te steken uit angst iets engs te raken op de bodem, beneden waar het water koud is. Op de oever staan de elzen in de rij. Het zand is bij hun wortels weggespoeld; die zijn zwart en glad, als dikke slangen in het water. Ik ga er gauw uit, ik heb opeens het idee dat het gele water bedorven ruikt. Ik schrik wanneer een van mijn natte lokken mijn schouder kietelt; ze vallen op mijn rug. Snel wikkel ik mijn handdoek om mijn hoofd en sluit ze in. De elzen spiegelen zich in het water, staan donker en stom op een rij langs de oever, het is doodstil.

Ik heb geen droge kleren bij me en trek mijn jurk over mijn natte badpak aan. Gaan ze hier altijd zwemmen, vraag ik me af. Stella en Gabriel? Trekt hij haar op dezelfde manier naar zich toe, wrikt hij haar lippen van elkaar, drukt hij zich tegen haar aan? Je zou hier van alles kunnen doen, niemand ziet het. Wat zouden wij gedaan hebben als hij was meegegaan? Die gedachte windt me op: zijn handen op mijn lichaam, warm op mijn huid die kippenvel heeft na het zwemmen, zijn ene hand in een vaste greep om mijn pols, dan zijn andere hand onder mijn jurk, op mijn dij. Ik doe mijn ogen dicht. Ik zou hem alles laten doen, bedenk ik, hoe gek het ook is. Ik verbaas me over mijn eigen gedachten, maar dan denk ik het alweer: hoe gek het ook is.

Wanneer ik thuiskom, staan Stella en Gabriel bij Gabriels auto en ik herken de buurman, Anders, die over de motor gebogen staat en zorgelijk kijkt, net als Gabriel. Anders geeft me een knikje wanneer ik langsloop.

'Er is iets mis met de motor,' zegt Stella.

'Oei, goh.'

Gabriel kijkt niet naar me. Stella loopt met me mee naar binnen.

'Was het water warm?' vraagt ze.

'Ja, echt wel.'

'Het is altijd gauw warm. Het is zo ondiep.'

'Weet je of er kreeften zitten?'

'Wat?'

'In het meer?'

'O... Nee, dat geloof ik niet.'

'En palingen?'

Stella glimlacht.

'Ik weet het niet, dat moet je aan Gabriel vragen. Wil je gaan vissen?'

'Nee, ik vroeg het me gewoon af.'

We eten in stilte. Het is laat, het wordt al donker buiten. Stella heeft de petroleumlamp op de veranda aangestoken. Gabriel heeft vlees gebarbecued, een ossenhaas, die vanbinnen rood is en aan één stuk is geroosterd; als een lange, dikke worst lag hij op de barbecue. Ik krijg het vlees haast niet weg. Ze hebben de auto niet kunnen repareren, morgen wordt hij opgehaald en naar een garage gebracht.

'De waterlelies zouden nu moeten bloeien,' zegt Stella. 'Heb jij ze gezien?'

Het duurt een paar seconden voor het tot me doordringt dat ze het tegen mij heeft.

'O, in het meer?'

'In het meer, ja.'

Ze klinkt geïrriteerd en doet nu geen poging dat te verhullen. Ze klaagde eerder over hoofdpijn en over de warmte. Ik begrijp dat ze zich ook zorgen maakt over de auto, dat het duur wordt, dat het lastig wordt zolang hij bij de garage staat. Als Gabriel ergens naartoe moet, moet zij hem brengen en zij zal alle boodschappen moeten doen totdat de auto er weer is.

'Nee... ik heb geen waterlelies gezien.'

'Misschien heb je er niet op gelet.'

'Jawel, dan had ik ze wel gezien.'

'Misschien heb je er niet op gelet,' herhaalt ze.

'Er waren geen waterlelies.'

'Die moeten er geweest zijn. Er zijn er massa's. *Nymphaea alba*. O ja, dat is waar ook, weet jij of er kreeften in het meer zitten?'

Dat vraagt ze aan Gabriel.

'Nee, daar heb ik nog nooit iets over gehoord.'

Ik denk aan waterlelies, aan hun stammen op de bodem, verzonken in de modder, dat ze hun uitlopers als noodsignalen naar het wateroppervlak sturen. Het moet akelig zijn om tussen de waterlelies te zwemmen, hun stengels om je benen, kronkelend over je kuiten en dijen. De bodem vol waterleliestammen en palingen. Ik prik in mijn vlees, ik kan niet meer op.

'Vind je het niet lekker?'

Gabriel kijkt me aan, voor het eerst die avond.

'Jawel... Ik heb alleen wat moeite met rood vlees.'

Het onweer zet niet door; het is nog steeds even heet als ik naar bed ga. Ik heb het raam in de logeerkamer op een kier staan en hang de haak in het oog. Eigenlijk zou ik het verder open willen zetten, maar dat lijkt me niet veilig, aangezien ik op de begane grond zit. Ik bedenk dat er iemand of iets – een dier – binnen zou kunnen komen. Misschien zou het toch niets uitmaken als ik het raam verder openzette; de lucht staat stil, hangt zwaar en dood, donkerder dan vanmiddag, maar nog even plakkerig.

Ik slaap bijna als ik boven geluid hoor, huilende uithalen, ik herken ze. Stella huilt, hard, ik hoor dat ze naar lucht hapt en zie voor me hoe ze trilt over haar hele lichaam. Dan hoor ik Gabriels stem, gedempt; wat hij zegt versta ik niet, maar aan de klank hoor ik dat hij boos is, maar zich inhoudt. Dan de stem van Stella, waar een verwijt in doorklinkt. Ik trek het dekbed over mijn hoofd en probeer niet te luisteren. Wanneer ik mijn ogen dichtdoe onder het dekbed flitsen de gedachten af en aan in mijn hoofd en de scène met de zoen in de auto wordt telkens opnieuw afgespeeld. Volgens mij heb ik Gabriel op geen enkele manier aangemoedigd. Ik keek alleen maar naar hem, hij begon mij te zoenen. Dat had hij niet moeten doen en ik had hem niet moeten laten begaan. Ik had hem van me af moeten duwen. Meteen is de gedachte aan zijn greep om mijn pols er weer. Stel je voor dat ik had geprobeerd hem weg te duwen en hij had dat verhinderd, mijn hand stevig omsloten met de zijne, zich tegen me aan gedrukt, me vastgehouden. Dan had ik hem nooit kunnen tegenhouden. Ik probeer die gedachte van me af te zetten, maar ze dringt zich opnieuw op, en uiteindelijk geloof ik haast dat het zo is gegaan. Het lijkt op wat ik 's ochtends weleens heb als ik heel moe ben: in plaats van daadwerkelijk op te staan stel ik me alleen voor dat ik dat doe; in een stadium van halfslaap denk ik zo intensief dat ik opsta en de badkamer in loop dat ik verbaasd ben wanneer ik weer wakker word en me realiseer dat ik nog steeds in bed lig.

Ik moet daarna echt in slaap zijn gevallen, want ik word wakker van een langgerekte, schelle schreeuw. Mijn eerste gedachte is dat het Stella is. Dat hij het haar heeft verteld, dat hij zich rot voelde, het moest opbiechten. Ik voel me vanbinnen leeg wanneer ik me voorstel dat ik straks haar voetstappen op de trap zal horen; wat zal ze tegen me zeggen? Of schreeuwen? Ik hoor mijn eigen stem in mijn hoofd: 'Ik wilde het niet tegen je zeggen, maar hij hield me vast. Ik kon niets doen, hij hield mijn handen vast en kuste me.' Ik kan goed liegen, op de juiste toon. Ik kan mezelf heel goed wijsmaken dat ik de waarheid spreek, daarom komt het er zo natuurlijk uit. Het is nu bijna waar. 'Ik had pas door wat er gebeurde toen hij me zoende.'

Dan besef ik dat het geluid dat ik gehoord heb niet van boven komt, maar van buiten, uit de tuin. Het was natuurlijk een kat. Nils is 's nachts buiten en er zijn hier meer katten, zwerfkatten die door zomergasten zijn achtergelaten of katten van boerderijen in de omgeving. Ze jagen 's nachts. Het stikt hier van de muizen, het is een oud huis, en dan al het koren – aan alle kanten rijpe gele korenvelden – en de oude loodsen waarin het wordt bewaard. Ik zie een krijsende muis voor me, een van de kleintjes die onder het huis wonen. Ik heb er een gezien, kleine donkere oogjes, net peperkorrels. Nu zie ik hem voor me in de poten van een kat, vechtend voor zijn leven, kronkelend, zijn hart slaat in paniek wanneer de kat zijn tanden in hem zet.

Ik knip de lamp aan die op het nachtkastje staat en een paar nachtvlinders die door het licht naar binnen zijn gelokt beginnen rond te dansen terwijl ik over de witgeverfde houten vloer sluip, snel het raam dichttrek en de dunne gordijnen ervoor sluit. Nu hoor ik iets anders, eerst gedempt maar al snel luider: zuchtende en kreunende geluiden. Ik kruip weer in bed en doe de lamp uit. Ditmaal is het geen kat. Het geluid komt weer van boven en ik begrijp dat het van Stella afkomstig is. Of het gepijnigd of genotvol is valt moeilijk uit te maken, het zit er precies tussenin. Ik probeer me voor te stellen wat Gabriel met haar doet om haar zo'n geluid te ontlokken, hoe hij haar aanraakt. De geluiden worden duidelijker, sneller. Ik doe mijn ogen dicht, denk aan zijn handen om mijn nek en de gewelddadigheid van zijn zoen, zijn handen over mijn rug terwijl hij opgewonden hijgt, zijn hand die over mijn achterste en mijn dijen naar beneden glijdt, onder mijn jurk omhoog, terwijl de andere hand mijn pols omsluit. Ik stel me het gewicht van zijn lichaam boven op me voor, dat hij mij nu kust, dat hij zich nu hard tegen mij aan drukt, dat die kreunende geluiden van mij zijn.

De bus naar de stad neemt een andere route dan de vorige keer. Kronkelende weggetjes langs boerderijen en witgekalkte kerken en woonbuurten waar alle brievenbussen op een lange rij langs de weg staan. Nergens stapt er iemand in of uit en voor mijn gevoel duurt de rit een eeuwigheid. Het is warm en benauwd in de bus en het stinkt er. Ik maak patronen met mijn vingertoppen in de pluchen bekleding van de zitting, teken een hart, veeg het uit, teken een nieuw.

Stella kijkt geïrriteerd als ik uitstap.

'Wat ben je laat.'

'De bus maakte een of andere rare omweg.'

Ze kijkt op haar horloge.

'Ik moet om kwart over één terug zijn, dan hebben we een vergadering.'

We gaan naar hetzelfde café als de vorige keer, Stella bestelt een caesarsalade en mineraalwater, en ik ook. De serveerster glimlacht even als ik zeg dat ik hetzelfde neem. Ze kijkt snel van de een naar de ander, waarschijnlijk vindt ze ons op elkaar lijken. Toen ik nog op de lagere school zat en Stella op de middelbare vroeg een man in een warenhuis een keer of we tweelingen waren. Ik vond dat een grote grap, maar Stella leek vooral geïrriteerd toen ze vertelde dat ze véél ouder was. Ze heeft er altijd al jong uitgezien, en nog steeds. Je zou ons nog steeds voor leeftijdgenoten kunnen aanzien, alleen zijn haar kleren veel eleganter dan die van mij en zien ze er volwassener uit.

'Die is hier goed,' zegt Stella wanneer de serveerster terugkomt met onze salades. 'Voor een provinciestadje.'

Ze glimlacht even, misschien is het een berustende glimlach. Ik weet dat ze Stockholm mist. Ze had het daar veel beter naar haar zin dan ik het ooit heb gehad, maar ze kon daar geen werk vinden. Ze wilde eerst voor zichzelf beginnen, rijke mensen helpen bij het ontwerpen van hun tuin, maar daar is ook niet veel werk in. Je moet contacten hebben en die heeft ze niet, geen rijke kennissen van kennissen, of kennissen van ouders, die behoefte hebben aan een tuinarchitect.

'Was Gabriel al wakker toen je wegging?' vraagt ze.

'Ik heb hem in elk geval niet gezien.'

Ze zucht even, schuift haar zonnebril op haar voorhoofd en buigt zich dichter naar me toe over de tafel.

'Ik heb de laatste tijd veel aan Erik gedacht,' zegt ze.

Ze heeft het zo lang niet over Erik gehad dat ik een verbaasd gezicht trek wanneer ze zijn naam noemt, en ze slaat haar ogen neer, alsof ze vindt dat het er lelijk uit kwam, en alsof ze denkt dat ik dat zal vinden.

'Wat heb je dan gedacht?'

Ze trekt haar schouders op.

'Ach, ik weet niet...' begint ze. Dan schraapt ze haar keel en klinkt opeens zekerder: 'Ik heb bedacht dat het anders was met hem. Veilig, heel anders dan met... dan nu.'

'Vond je dat beter?'

'Nee,' zegt ze snel, in een reflex. Dan zwijgt ze en ze denkt na; ze draait haar zonnebril rond in haar hand. 'Toen vond ik het vaak saai. Het was stabiel. Gabriel is natuurlijk... Ja, nu gaat het meer met ups en downs.'

Ik knik. Misschien is dit nog maar het begin van een gesprek, bedenk ik. Misschien wil ze dat ik nu doorvraag, antwoorden uit haar ga trekken, maar daar ben ik slecht in. Toch vraag ik me af of Gabriel en zij problemen hebben, grotere problemen dan dat ze af en toe ruziemaken en twee nukkige personen zijn die allebei heel boos kunnen worden. Problemen die, ook al zijn ze geen excuus om iemand anders te zoenen, in elk geval kunnen verklaren dat zoiets gebeurt.

Als Stella haar zonnebril weer opzet, realiseer ik me dat ik de kans om daarnaar te vragen voorbij heb laten gaan. Nu begint ze over een vriendin die geëmigreerd is, en daarna over haar werk, zoals gewoonlijk.

'Wil je de kassen zien, trouwens?' vraagt ze.

'Welke kassen?'

Ze trekt een gezicht alsof ze wil zeggen dat ik toch zou moeten weten welke kassen ze bedoelt, maar ze kijkt niet boos, eerder geamuseerd.

'Die op mijn werk natuurlijk.'

Ze glimlacht, en ik knik.

'Best.'

Stella rekent af en dan gaan we.

'Dankjewel,' zeg ik.

'Je kunt mij een lunch aanbieden wanneer je een eigen galerie hebt,' zegt ze.

Ik lach. Dat lijkt me een onzinnig idee, maar hoewel Stella ook lacht, lijkt ze geen grapje te maken. Het dringt tot me door dat ze die opmerkingen over mijn scriptie en dat ik meer zou moeten studeren misschien niet alleen maar maakt om te zeuren, maar omdat ze echt denkt dat ik iets kan bereiken. Zo heb ik het nooit eerder gezien. Opeens voel ik genegenheid voor haar, net als toen we klein waren en ik haar een hand gaf als we ergens heen gingen en me veilig voelde en ervan overtuigd was dat Stella alles kon; en ik schaam me bij de gedachte aan Gabriel in de auto. Ik bedenk weer dat het niet mijn schuld was, maar ik had moeten protesteren; ik had er iets van moeten zeggen, denk ik. Ik had het niet moeten willen.

We lopen door het centrum van de stad, dat niet erg groot is. Stella heeft haar kantoor in het gemeentehuis, maar de kassen staan een paar straten verderop.

'Daar zou ik wel de hele tijd willen zitten,' zegt ze. 'Zodat ik alles op één plek heb.'

'Ja, dat klinkt ook logischer.'

'Maar ze willen alle afdelingen bij elkaar hebben. Ik weet nu alles van afval, ik zit met de milieudienst in één kamer.'

Ze vervolgt haar monoloog over de gemeentelijke organisatie. Ik kan me moeilijk concentreren op wat ze zegt en kijk naar de dichte haag van cipressen die aan weerszijden van het hek groeien waarvoor we zijn blijven staan; ze zijn donker en zien er ondanks de warmte koel uit, lommerrijk. Ik stel me voor dat de grond eronder vochtig is en denk aan een gedicht van Christina Rossetti dat me erg aansprak toen ik het las met het oog op mijn scriptie. Ik hoor het in gedachten: *'When I am dead, my dearest/ sing no sad songs for me/ plant thou no roses at my head/ nor shady cypress tree.'* Het ruikt vaag naar hars, terpentijn, een scherpe geur, die toch prettig is. Stella opent het hek en laat me binnen. Er staan drie grote kassen achter de heggen, omringd door perken en tuinen.

'Is het niet prachtig?' Stella kijkt opgetogen.

'Nou, zeker.'

Ze trekt de deur van een van de broeikassen open en ik loop achter haar aan naar binnen. Ook al is het buiten warm, de hitte in de kas is heel anders: plakkerig vochtig. In het begin is het moeilijk ademhalen. Ik voel mijn haar bijna in de krul schieten. Het ruikt er vochtig en er klinkt een zacht gemurmel van water. Ik kijk om me heen. In een hoek van de kas bevindt zich een klein bassin in de vloer, met een mozaïek aan de binnenkant van verschillende tinten blauw, net als de asbak van Gabriel, bedenk ik, net een klein zwembad. In het bassin zwemmen twee grote karpers langzaam rond. Er staan rododendrons omheen, waar nog een paar bloemen aan zitten, maar vooral veel dikke, donkergroene bladeren. Ze zien er weerbarstig uit.

'Hebben jullie vissen?'

Stella glimlacht.

'Die zijn hier al een eeuwigheid. Deze kas is van rond de vorige eeuwwisseling; toen is de karpervijver ook aangelegd, maar daar is weer overheen gebouwd. Ze hebben hem gevonden tijdens een renovatie in de jaren tachtig. Vanaf die tijd zijn deze vissen hier waarschijnlijk al, ik geloof dat ze heel oud kunnen worden.'

Ik sta te puffen van de warmte en voel dat ik een klamme rug krijg.

'Jee, wat is het warm.'

'Het is hier net Zuid-Amerika. Peru of zo. Kijk.'

Ze wijst naar een tafel die bedekt is met orchideeën. Het lijkt wel een klein bos; uit groen mos schiet een rij stengels op. De bloemen variëren in kleur van wit en lichtroze tot naar zwart neigend bordeauxrood. Ze zijn fluwelig, sommige met een patroon van vlekken en stippen. Er hangt een zwakke geur in de lucht, zoet, geparfumeerd.

'Dit is mijn orchideeënkwekerij,' zegt Stella.

Ze kijkt trots, buigt voorover naar een van de bloemen en raakt die voorzichtig aan.

'Niemand geloofde dat ze het hier zouden doen,' zegt ze. 'Ze zijn zo kwetsbaar. Temperatuur en luchtvochtigheid moeten perfect zijn willen ze het naar hun zin hebben. Het afgelopen voorjaar hebben we een stroomstoring gehad; in maart geloof ik, toen het buiten nog steeds vroor. Het voorjaar was laat vorig jaar. We hebben maar een halfuur zonder stroom gezeten, en ze hebben het bijna allemaal overleefd, maar ze reageerden meteen. Ik heb nu een noodaggregaat geregeld, dat aanslaat bij een stroomstoring. Raar dat dat er nog niet was. Hoewel ze eerst natuurlijk vooral viooltjes en geraniums kweekten. En heideplanten, lange rijen heideplanten voor in de pizzeriapotten... Die kunnen wel tegen een stootje.'

Ik knik, ook al heb ik er geen verstand van. Ik duw voorzichtig met mijn wijsvinger tegen het groene mos dat de orchideeën omgeeft; het is vochtig, veerkrachtig. Ik probeer me te herinneren wanneer ik voor het laatst aan mos heb gevoeld.

'Maar wat wil je ermee?' vraag ik. 'Die kun je toch niet in potten buiten in de stad zetten?'

'Nee, ze zijn van mij. Ik heb ze privé gekocht, ik leen hier alleen wat ruimte. Maar ik kan er vast wel een bestemming voor bedenken. Je kunt ze cadeau doen als iemand op het gemeentehuis jarig is of met pensioen gaat of zoiets.'

Ze loopt weer door. Ik volg haar, langs de potten met palmpjes die tegen een muur staan. Stella zegt dat die de volgende zomer op het plein bij het gemeentehuis komen te staan. Dan werpt ze een blik op haar horloge.

'Ik kom nog te laat op de vergadering, ik moet opschieten. Kom je?'

We lopen samen naar de promenade in het centrum. Ik ken niemand die zo hard loopt als Stella wanneer ze haast heeft. Ik loop op een drafje om haar bij te houden.

'Ga jij nu naar huis?' vraagt ze.

'Weet ik niet.'

'Of rij je straks met mij mee?'

'Weet ik niet,' zeg ik weer.

'Ik moet opschieten.'

'Ik kan wel met jou meerijden.'

Ze knikt.

'Ik ga om kwart voor vijf weg. Kom dan maar langs,' zegt

ze snel, voordat ze schuin het plein oversteekt naar het gemeentehuis.

Ik weet niet wat ik een hele middag alleen in de stad moet doen, ik slenter maar wat rond. Eerst ga ik terug naar het café waar Stella en ik hebben geluncht, maar ik kan geen vrije zitplaats vinden. Vakantie vierende gezinnen met kinderen eten ijs met aardbeien en parasolletjes; sommige praten Duits. Het centrum is geconcentreerd rondom het raadhuisplein en ik breng enkele uren door in de galerie ernaast, een triest betonnen gebouw dat eruitziet alsof het in om het even welke Zweedse stad zou kunnen staan. Dezelfde winkelketens als overal, dezelfde rommelige zomeruitverkoop. Ik pas een jurk in een uitgestorven Hennes & Mauritz-winkel die koel is door de airconditioning en besluit hem te kopen. Ik had maar één jurk bij me en die draag ik nu bijna elke dag, ik was hem 's avonds en hang hem op, zodat hij droogt in de zon voordat ik wakker word. Mijn nieuwe jurk is korter, van dunne bloemetjesstof, met een patroon van krullerige stengels en bladeren.

Daarna vind ik een kleine bibliotheek in een dwarsstraat. Op de afdeling Poëzie staat een bank waar ik op neerplof. Ik trek een paar boeken uit de kast en blijf verstrooid zitten lezen totdat het bijna halfvijf is en ik de weg terugzoek naar het gemeentehuis. Stella staat al voor de ingang, ook al is het nog maar tien over half.

Ze trekt haar wenkbrauwen naar me op bij wijze van groet.

'Ben je eerder weggegaan?' vraag ik.

'Nee, we hadden toch kwart voor afgesproken?' zegt ze.

'Ja?'

'Ja?' herhaalt ze.

'Loopt je horloge voor?' vraag ik.

Ik zie de rimpel tussen haar wenkbrauwen.

‘Loopt jouw horloge misschien achter?’ vraagt ze.

Ik zucht.

‘Nou, sorry dan als ik te laat ben.’

Ze haalt haar schouders op, ik loop achter haar aan het plein over op weg naar de auto.

Stella’s humeur knapt snel op als we thuis zijn. Gabriel geeft haar een compliment voor de rok die ze aanheeft en ze maakt een pirouette in de hal, lacht en kleedt zich niet om zoals ze anders altijd doet na het werk. In plaats daarvan bindt ze een schort om haar middel en begint hem met het eten te helpen. Hij staat wortels te schrappen, pakt haar vast wanneer ze langs hem loopt, laat haar achteroverleunen en kust haar snel. Ze lacht weer. Dan haalt ze een wijnfles uit de koelkast en opent die, schenkt wijn in drie glazen en zet een ervan voor mij op de keukentafel neer. Gabriel stopt even met schrappen om met haar te proosten. Ik zit een interieurmagazine door te bladeren waar Stella op geabonneerd is. Ik moet de andere kant op kijken wanneer Stella achter Gabriel langs loopt en even een hand over zijn arm laat glijden. Een snelle streling, alledaags en teder tegelijk, ik voel een steek in mijn maag.

De buitenkant van mijn glas beslaat. Mijn vingers worden vochtig als ik het oppak om een slok te nemen, ook al heb ik vanavond helemaal geen zin in wijn. Ik staar in het blad naar een reportage over zwembaden met allemaal mooie foto’s van spectaculaire huizen. Een ervan heeft een zwembad met een korte kant van glas, waardoor je op een steile rots uitkijkt. Ver in de diepte ligt de zee; daar breken sissende golven op puntige, zwarte rotsen. Als de glazen wand breekt ga je dood, bedenk ik. Ik denk aan Gabriels hand om mijn nek in de auto, hoe hij me naar zich toe trok, net als zojuist bij Stella, met hetzelfde resolute gebaar. Wat had ik dan gedacht? vraag ik me af. Dat hij niet meer van haar zou houden, alleen omdat hij mij heeft gezoend? Hoewel ik het onzinnige van die gedachte inzie, kan ik er niet tegen hen samen te zien koken, te zien hoe ze het kennelijk gezellig hebben samen. Tussen hen bestaat iets wat verder gaat dan een zoen, bedenk ik; ze hebben een geschiedenis, plannen voor de toekomst, intimiteiten; een heel leven. Dingen die ik met niemand ooit heb gehad, al helemaal niet met Peter. Met hem heb ik een soort verlaat puberale relatie, bedenk ik, waarin niets zeker of blijvend is, waarin alles anders kan, en over alles opnieuw kan worden onderhandeld. Een zoen stelt weinig voor vergeleken met wat Stella en Gabriel hebben. Het was gewoon een vergissing; iedereen kan zich vergissen.

Bij het besef van mijn eigen kinderachtigheid, vermengd met teleurstelling, voel ik mijn wangen gloeien als bij een haastig opkomende koorts. Op de een of andere manier had ik gedacht dat er iets door zou veranderen, in elk geval een klein beetje, maar er is niets veranderd. Gabriel heeft nauwelijks naar me gekeken, niet op een andere dan correcte manier, gedistantieerd vriendelijk, alsof ik precies die logerende schoonzus ben die ik feitelijk ook ben.

Ik moet opstaan van mijn plaats aan de keukentafel, naar buiten lopen en op de bank op het terras gaan zitten, vanwaar ik de keuken niet kan zien. Ik hoor Stella lachen en duw de deur zorgvuldig achter me dicht. Ik heb mijn glas en het magazine meegenomen. Het water van het zwembad is koel turquoise, ik staar ernaar en probeer mijn gedachten tot bedaren te brengen. Wat is er mis met me? vraag ik me af. Als je zoiets doet, moet er toch wel iets aan je mankeren? Misschien heb ik een stoornis in mijn hersenen, net als moordenaars en psychopaten, een fundamenteel gebrek aan empathie. Maar het is niet waar dat ik geen empathie heb; ik heb alleen het vermogen om me af te sluiten, om dingen te verdringen, om de consequenties van mijn handelingen niet tot mijn hersenen door te laten dringen, dat heb ik altijd al gehad. Ik heb het altijd beschouwd als een verlengstuk van mijn levendige fantasie, maar misschien is het iets anders: een stoornis, een defect. Iets waar je voor behandeld moet worden. Verschillende delen van mijn hersenen zijn hermetisch van elkaar afgesloten, terwijl daar helemaal geen afscheiding zou moeten zijn.

Dan word ik boos en ik bedenk dat Gabriel wijzer zou moeten zijn. Hij zou moeten inzien dat hij het niet kan maken eerst zoiets te doen en daarna net te doen of er niets aan de hand is. Maar misschien zit hij zo in elkaar. Misschien is het voor hem een spel. Voor mij is niets een spel, niets is ooit een spel geweest. Ik vat altijd alles veel te serieus op. Op die manier heb je op je twintigste nog niet gezoend, bedenk ik; niet omdat je niet wilt, maar omdat je de controle niet wilt verliezen. En dat is wel nodig, je moet je kunnen laten meeslepen en de dingen gewoon over je heen laten komen. In dat opzicht lijken Stella en ik op elkaar, in die behoefte aan controle. Maar anders dan ik beschikt zij over een dosis doelgerichtheid en zelfvertrouwen die dat ruim compenseert en die ervoor zorgt dat ze toch wel krijgt wat ze wil.

Ik neem een grote slok van de wijn en leun achterover op de bank, probeer te bedenken wat ik daartegenover kan stellen, maar er komt niets in me op. Ik ben net als Stella, bedenk ik. Maar dan iets minder goed.

Tijdens het eten hebben Stella en Gabriel allebei nog steeds een goed humeur. Stella lijkt een beetje aangeschoten. Ze vertelt over een man op het gemeentehuis met wie ze niet goed overweg kan. Gabriel en zij analyseren hem samen en lachen; ik voel me te veel, hoewel ze alle twee beleefde pogingen doen om mij in het gesprek te betrekken.

Na het eten verontschuldigt Stella zich en gaat douchen, Gabriel verontschuldigt zich ook, zonder dat hij een excuus heeft, en loopt achter haar aan de trap op. Ik hoor haar weer lachen; ze zegt dat hij moet stoppen met iets waarvan het helemaal niet klinkt alsof ze wil dat hij daarmee stopt. Ik blijf op de veranda zitten en probeer niet te luisteren of ik geluiden hoor die verraden wat ze aan het doen zijn, maar hoewel het natuurlijk onmogelijk is om niet te luisteren, hoor ik echt niets. Ik bedenk dat ik aan mijn scriptie zou moeten werken, maar ik ben wat slaperig van de wijn; ik ben het niet gewend elke avond te drinken. Toch sta ik op en haal een paar boeken van de stapel op mijn nachtkastje. Ik open het boek met de mooiste kaft, blader er doelloos in en neem nog een slok wijn.

'Hallo daar,' zegt Gabriel wanneer hij even later het terras op komt lopen. 'Hoe gaat het?'

Hij klinkt uitgelaten en vriendelijk en kijkt me aan met een blik die ik niet kan plaatsen; hij maakt een tamelijk onbeholpen indruk, alsof hij niet goed weet hoe hij zich moet gedragen. Misschien is het voor hem hetzelfde als voor mij, bedenk ik. Misschien heeft hij helemaal geen controle over de situatie, misschien weet hij niet beter dan ik hoe hij ermee moet omgaan. Bij die gedachte verdwijnt mijn boosheid en maakt ze plaats voor een soort tederheid. Ik glimlach naar hem.

'Ik wilde wat werken, maar het wil niet echt lukken.'

Hij knikt, gaat naast me op de bank zitten, pakt een boek op en bladert erin, maar de inhoud lijkt hem niet te boeien en zuchtend legt hij het weer neer.

'Dan wil het bij ons allebei kennelijk niet echt lukken,' zegt hij.

Ik kijk hem aan, denk eerst dat hij op de kus doelt en dat dit een uitnodiging is daarover te praten, maar begrijp dan dat hij zijn schrijven bedoelt. Hij reikt naar zijn wijnglas, zijn arm raakt de mijne even aan, hij zit dicht bij me. Opeens wil ik alleen nog maar met mijn hoofd op zijn schouder leunen, voelen hoe hij me naar zich toe trekt en me stevig vasthoudt. Ik kan zijn geur ruiken. Die is zwak maar duidelijk wanneer ik hem eenmaal heb geroken; hij ruikt schoon en een beetje naar rook, en er is ook nog een zachte geur van iets zoets, vanille of zo. Ik kijk naar zijn arm, naar de plek waar zijn T-shirt ophoudt en de huid begint en krijg veel zin mijn hand uit te steken en hem aan te raken, om voorzichtig met mijn vingertoppen langs zijn arm te gaan, langs de aderen die vaag te zien zijn aan de binnenkant; het ziet er zo zacht uit.

'Natuurlijk komt het goed met je roman,' hoor ik mezelf zeggen. 'Volgens mij maak je problemen waar ze er niet zijn. Je moet gewoon schrijven.'

Hij werpt me een fletse glimlach toe en ik voel me een beetje stom dat ik überhaupt iets zeg. Ik heb geen idee waar ik het over heb, dat snapt hij natuurlijk ook wel.

Ik kuch.

'Ik bedoel, het is toch altijd goed wat je schrijft? Daar zou je op moeten vertrouwen.'

'Dat is aardig van je.'

'Ik zei het niet om aardig te zijn.'

Er staat nu een vaas met pronkerwten op tafel. Ze verspreiden een geur die bij het vorderen van de dag alleen maar sterker lijkt te worden. In de moestuin klimmen ze tegen een stellage van kippengaas op en raken in elkaar en in het gaas verward. Gulzig en krampachtig wikkelen ze hun uitlopers als lianen om alles heen wat binnen hun bereik komt; je krijgt ze soms bijna niet los als je ze wilt plukken. Ik kijk weer naar Gabriels arm, zijn handen en vingers, en stel me voor hoe het zou voelen als ze me aanraakten, als hij zijn hand zou uitsteken en die nu op mijn been zou leggen, hem langs mijn dij zou laten kruipen en onder de dunne stof van mijn jurk. De geur van de pronkerwten vermengt zich met de vanille van zijn parfum. Ik doe snel mijn ogen dicht en adem de zachte, poederige geur diep in. Het is bijna onwaarschijnlijk dat zo'n geur zomaar ontstaat, bedenk ik; je zou hem eigenlijk uit de lucht moeten kunnen winnen en geconcentreerd in een flesje stoppen.

Gabriel kijkt me aan, maar zegt niets. Het is nu stil; de krekels staan vanavond alleen voor de muziek. Hij wendt zijn ogen af.

'Misschien kunnen we nu beter naar bed gaan,' zegt hij zacht.

'Vind je?'

Zijn gezicht heeft nu een getergde trek. Die herken ik; het is dezelfde uitdrukking als in de auto, nadat hij me had gezoend, en opeens besef ik dat hij misschien hetzelfde denkt als ik en dat hij daar last van heeft, net als ik.

Hij knikt en staat langzaam op van de bank.

'Ja,' zegt hij, 'dat vind ik helaas wel.'

Ik word wakker van de stofzuiger. Gabriel is vroeg op en aan de schoonmaak. Hij knikt naar me vanuit de woonkamer, waar hij het oude oosterse tapijt, dat bijna de hele vloer bedekt, aan het stofzuigen is.

Ik maak het ontbijt klaar, smeer boterhammen en zet koffie. Als ik het gootsteenkastje opendoe, waar de afvalzak staat, komt er een wolk vliegjes uit en slaat een zware, zoete lucht me tegemoet. Dit zijn de hondsdagen, en dan daarbij nog die ongewone warmte, alles rot meteen weg. Stella had het er gisteren tijdens het eten over dat je nauwelijks iets kunt oogsten, omdat het meteen kapotgaat. Het was op het nieuws geweest: moedeloze boeren in Skåne met een rottende groenteoogst. Ik wapper met mijn hand door de lucht om de zwerm vliegjes te verdrijven. Dan houd ik mijn adem in, knoop de zak stevig dicht en zet hem in de deuropening tussen de woonkamer en het terras, zodat ik niet vergeet hem weg te gooien.

Ik ontbijt op het terras, sla Gabriels boek open en begin te lezen. Het is spannend vanaf de eerste bladzijde en bezorgt me kippenvel, vreemd dat ik me er niet meer van herinner. Een van de hoofdstukken eindigt met een korte seksscène tussen de mannelijke hoofdpersoon en een jongere vrouw, ik lees hem een paar keer en voel mijn wangen gloeien.

Even later verschijnt Gabriel op het terras. Hij ziet er verhit uit, zijn dikke bos haar zit in de war. Hij schudt zijn hoofd.

'Zo moet het maar goed zijn,' zegt hij tegen mij, alsof hij wil dat ik dat beaam, dus doe ik dat maar.

'Gelijk heb je.'

'Waanzin, schoonmaken in deze hitte.'

Dan ziet hij wat ik lees. Hij reikt naar het boek en bekijkt het met kritische blik.

'Dit boek is niet meer van deze tijd, hè?' vraagt hij, en hij kijkt me aan.

'Ik bedacht net dat het beter is dan ik me herinnerde.'

'Stella vindt het een naar boek.'

Ik hoor aan zijn stem dat hij geen grapje maakt. Er schuilt een tikje bitterheid in, en teleurstelling, een teleurstelling die gewoonte geworden is.

'Natuurlijk vindt ze dat niet,' zeg ik desondanks. Hij knikt.

'Toch wel. Ze heeft een hekel aan de hoofdpersoon. Ze vindt het ook een vreselijk verhaal, geloof ik. Dat zegt ze niet, maar dat heb ik wel door. Soms weet ik niet...'

Hij zwijgt en kijkt me vorsend aan.

'Wat?'

'Soms weet ik niet wat ik moet doen om het haar naar de zin te maken,' zegt hij, zachter nu.

'Ze laat haar waardering niet zo duidelijk blijken,' zeg ik, nu ook op zachtere toon, alsof ik bang ben dat Stella het zal horen, ook al is ze niet eens thuis. 'Dat heeft ze nog nooit gedaan.'

Hij kucht.

'De omslag is in elk geval mooi,' zegt hij opgewekt en hij trommelt met zijn vingers op de voorkant.

'Ja, dat is zo.'

'Ken je het verhaal achter dat schilderij?'

'Nee.'

'Elizabeth heette ze. Ze was getrouwd met Rossetti,' zegt hij, en hij zet de punt van zijn wijsvinger op de borstkas van de verdronken vrouw. 'En ze zat model voor Millais. Of liever: ze lág... als verdronken in een badkuip vol koud water, weken achter elkaar. Daarna werd ze ziek; ze kreeg longontsteking en ging dood.'

Je kunt het bijna aan haar gezicht zien, bedenk ik als ik de omslag bekijk, het ziet er ijzingwekkend uit. Haar mond en ogen staan open, open maar stil. Haar gezicht lijkt wel verlamd, alsof het in een ogenblik van paniek is verstijfd, alsof ze het heeft uitgeschreeuwd op het moment waarop ze beseft dat ze doodgaat. Een schreeuw die zo doordringend is, stel ik me voor, dat de vogels in de struiken naast haar angstig klapwiekend opvliegen, hazelwormen kronkelend onder stenen en varens verdwijnen en konijnen in hun holen kruipen.

'Rossetti werd gek van verdriet,' zegt Gabriel. 'Hij besloot voorgoed te stoppen met dichten. Misschien dacht hij dat hij het niet meer zou kunnen. Hij gaf het gewoon op. En hij begroef alles wat hij ooit samen met Elizabeth had geschreven, legde het in haar kist...'

Hij glimlacht even.

'En daarna kreeg hij spijt... en op een nacht opende hij haar graf.'

'Wat?'

Gabriel knikt en kijkt opgetogen.

'Er waren een paar maanden verstreken sinds de begrafenis, maar toen ze haar kist openmaakten was ze nog steeds even mooi als toen ze stierf. Haar huid was nog even wit en glad, en haar haar... Je weet dat het haar na de dood soms nog doorgroeit? Ze lag daar midden in het haar, de hele kist zat er vol mee. Toen ze het deksel opendeden, golfde het naar buiten en kronkelde over de rand.'

Ik schud mijn hoofd.

'Dat is toch niet waar?' zeg ik en ik kijk hem onderzoekend aan. Hij kijkt ernstig en houdt mijn blik vast.

'Jawel. Het is wel waar.'

'Het is maar een verhaal,' mompel ik.

Gabriel zegt niets, hij kijkt naar de plastic zak in de deuropening.

'Het afval stonk zo vreselijk,' zeg ik zacht. 'Er lag iets te rotten.'

Het kost me een hele ochtend om de rest van Gabriels manuscript te lezen. Hij heeft het nu uitgeprint, een dikke stapel tweezijdig bedrukt papier. Het eind ontbreekt. Daar is hij nog steeds niet zo tevreden over dat hij het mij wil laten zien. Misschien is hij veel te kritisch over zichzelf, denk ik, want de rest van het manuscript is goed; ik begrijp echt niet waar hij zo ontevreden over is. Het verhaal speelt zich af in een provinciestadje in de winter. De sfeer van verlatenheid en kou is zo goed gevangen dat ik het er bijna koud van krijg, ook al is het buiten vast wel vijfentwintig graden.

Hij is het gras voor de broeikas aan het maaien wanneer ik de tuin in loop. Het is vandaag koeler, maar toch lijkt het nog een hele opgave. Hij glimlacht wanneer hij me ziet, maar wel ietwat aarzelend, een tikje ongerust. Plotseling dringt het tot me door dat mijn mening misschien echt belangrijk voor hem is. Eerst dacht ik dat hij me met deze leesopdracht een dienst wilde bewijzen, me iets te doen wilde geven, zoals je een stagiaire een klusje geeft waarmee niets mis kan gaan, maar als ik zijn gespannen gezichtsuitdrukking zie, begrijp ik dat hij het zich zal aantrekken wat ik zeg.

Hij laat de grasmaaier los.

'Nou,' zeg hij met een glimlach die geforceerd aandoet, 'hoe luidt het vonnis?'

'Het is ontzettend goed,' zeg ik. 'Ik begrijp niet waar je je druk om maakt.'

Hij glimlacht en trekt zijn wenkbrauwen op, alsof hij zich afvraagt of ik echt eerlijk ben. Ik knik.

'Echt goed,' zeg ik nog eens.

Opeens lijkt hij niet langer te luisteren. Ik zie dat zijn blik op mijn vingers gericht is, op mijn nagels. Ik draag nu donkerder nagellak, diep cerise, net als de donkerste van de trillende cosmea's in de tuin; hun kroonblaadjes lijken wel wat op nagels. Stella's nagels zijn kort en niet gelakt. Bij haar worden ze niet lang; ze breken wanneer ze werkt, slijten en gaan kapot, er komt aarde en viezigheid onder. Lakken is onpraktisch, het kan niet. Ik kijk Gabriel aan. Zijn ogen zijn altijd donker, maar nu lijken ze bijna zwart, net zoals toen in de auto. Hij zet een stap in mijn richting, trekt me resoluut naar zich toe en kust me. Ik realiseer me dat ik wel wist dat hij dat zou doen. Ik wist het toen ik de kleur uitzocht, wist dat hij die mooi zou vinden, tegen het ordinaire aan. Ik dacht aan hem tijdens het lakken, als een bezwering. Misschien weet ik het al langer, al sinds de allereerste avond toen hij in de keuken stond, toen hij mijn blik beantwoordde en me aan bleef kijken.

Zijn zoen is nu weer net zo hard, gewelddadig bijna. Wanneer ik mijn handen onder zijn T-shirt stop, wordt zijn ademhaling luider. Ik ga zachtjes met mijn nagels over zijn rug en dan wordt zijn adem een gesmoorde kreun, ik word er opgewonden van en druk me tegen hem aan. We staan tegen de voorkant van de kas geleund, hij pakt mijn ene hand vast en klemt die in een stevige greep tegen de glazen wand boven mijn hoofd terwijl hij me zoent. Ik adem nu ook luid. Hij houdt mijn pols nog steeds vast wanneer hij me de kas in trekt, me vastbesloten tegen de planttafel zet met mijn rug naar hem toe. Dan staat hij achter me, trekt snel mijn jurk omhoog en mijn slipje opzij. Dit had ik zien aankomen en toch ook weer niet. Zijn handen in een harde greep om mijn heupen en daarna een hand tussen mijn dijen, hij ademt zwaar, drukt zich tegen me aan en perst zich zo diep mogelijk naar binnen.

Het is zaterdag en Stella hoeft niet te werken. In plaats daarvan is ze met de planten in de kas bezig. Daarbinnen groeien palmen in potten, een citrusboom en een tweede engelentrompet, veel groter dan die op het balkon. Deze is een paar meter hoog, een compleet boompje in een grote aarden pot. Ik sta eronder en kijk omhoog naar de zware, bloeiende bloemen; het zonlicht wordt gezeefd door de bladeren; ze maken het groengeel, alsof het vol chlorofyl zit. Tussen de bladeren door zie ik de lucht als flikkerende blauwe puzzelstukjes. Ik steek mijn hand uit om een van de bloemen aan te raken. Ze is zo groot dat ze onecht lijkt en ze heeft bijna iets dreigends, het is net een opengesperde muil. Ik strijk zachtjes met mijn vingertoppen over de bloem, die ultradun is, maar toch sterk lijkt, net als perkament.

'Hij is giftig,' zegt Stella.

Ze plant zaden in een kleine broeibak, prikt zorgvuldig gaten met een stokje en stopt voorzichtig in elk gat een zaadje.

'De bloem?' vraag ik.

'De hele plant. Alles eraan is giftig.'

Ik trek snel mijn hand terug.

Er staat een wit geschilderde gietijzeren stoel naast de planttafel. Ik ga erop zitten. Voor mijn ogen flikkert het beeld van hoe ik over die tafel gebukt stond, met Gabriel achter me, de greep van zijn handen om mijn heupen. Ik denk aan hoe hij ademde, hoe het voelde hem in me te hebben.

'We zouden iets moeten doen,' zegt Stella opeens.
Ik schrik van haar stem.
'Wat zeg je?'
'Iets doen. Wat dan ook. Ergens heen gaan of zo.'
'Ja, prima. Waarheen?'
'De stad in? Naar zee? Weet ik veel. Iets bezichtigen, misschien. Het kasteel?'
Ze kijkt me vragend aan. Ik mag het zeggen.
'Ja, we gaan het kasteel bekijken,' zeg ik.
Zoals gewoonlijk valt onmogelijk vast te stellen wat ze van mijn keuze vindt. Haar gezicht verraadt niets, maar ze lijkt in elk geval energiek wanneer ze de aarde van zich af klopt en het grasveld over loopt.
'Marina wil het kasteel bekijken,' zegt ze tegen Gabriel als we hem op het terras tegenkomen, alsof het mijn voorstel was. 'Je hebt de auto vanmiddag toch niet nodig?'
Het is meer een constatering dan een vraag. Hij heeft de auto niet nodig, hij gaat werken. Hij neemt een kop koffie mee en verdwijnt naar boven.

Stella is normaal gesproken een goede chauffeur, maar nu heeft ze haar hoofd er blijkbaar niet bij. Ik merk dat ze vergeet richting aan te geven voor een kruispunt en bij het parkeren zit ze eerst zo dicht tegen de auto naast ons, dat ik diep ademhaal en wacht op de klap; zenuwachtig frunnik ik aan mijn veiligheidsgordel. Maar het gaat goed, en ze lijkt zich van geen kwaad bewust als ze uitstapt.
'Ik ben hier al heel lang niet meer geweest,' zegt ze, terwijl ze de bos met autosleutels rond haar wijsvinger laat draaien.
'Hoe lang dan?'
Ze denkt na.
'Sinds mijn verhuizing niet meer. We zijn hier een van de eerste weekends geweest. Toen was het herfst, het was heel

mooi met alle kleuren bomen langs de lanen. Ik vond het zo gezellig, ik bedacht dat we hier vaak heen zouden moeten. Maar daarna zijn we hier nooit meer geweest.'

Ik knik.

'Je moet in de herfst maar weer komen logeren; dan gaan we hier weer heen, dan kun je het zien. Ze hebben een open haard waar je bij kunt zitten koffiedrinken. En je kunt kastanjes plukken.'

Ik glimlach. Ze kijkt me aan en glimlacht ook. Toen we klein waren plukten we kastanjes, emmers vol. Ik weet nog precies hoe het voelde om de stekelige groene bolster open te breken; de manier waarop die langs de naden openging leek te mooi om natuurlijk te zijn. De binnenkant sponzig wit om de donkere kastanje heen. Ik vond het een plezierig gevoel om de gladde, glimmende vrucht, die eerst altijd nog koud was, in mijn hand te klemmen. En dan een onbestemde herfstgeur, zoet en gronderig, als van rotting. Stella lijkt precies hetzelfde te hebben gedacht.

'Ik was altijd zo teleurgesteld als ze na een tijdje dof werden,' zegt ze.

'Ik ook.'

'Een keer wilde ik een hele zak kastanjes bewaren, die stopte ik in een schoenendoos onder mijn bed. Toen ik ze er later weer uit haalde waren ze helemaal dof en verschrompeld.'

'Dat heb ik ook gedaan. Ik heb het een paar jaar achter elkaar geprobeerd.'

'Ja.'

'Ik geloof dat ik me afvroeg of je ze kon lakken om ze glad te houden.'

'Ik ook.'

Nu lachen we. De steentjes op het grindpad knerpen onder onze voeten. We hebben vandaag bijna identieke schoenen aan, van stof, maar wel in verschillende kleuren.

Het kasteel stamt uit het begin van de achttiende eeuw en is wit met twee vleugels. Hier heeft ooit een schrijver gewoond, zegt Stella, maar ze is vergeten wie. Ik zeg dat het niet uitmaakt. We gaan op een bankje zitten. Achter het kasteel ligt een park. Verderop zie je water en je ruikt dat het de zee is, de open zee en geen meer. Je hoort het ook: gekrijs van meeuwen in de verte, het wordt een achtergrondgeluid.

Stella kucht.

'Ik ben in verwachting,' zegt ze.

Ze kijkt me aan, haar blik is vast. Ik moet mijn ogen neerslaan, het lukt me niet haar aan te blijven kijken. Nu klinkt het alsof de meeuwen vlakbij zijn.

'Wat zei je?'

'Ik ben in verwachting.'

Er komt een zilte geur van zee, en nog een andere geur, die muf is, bijna verstikkend. Misschien is het wier, dat aangespoeld is op het land, opdroogt in de zon en vastplakt aan een rots.

'Goh, gefeliciteerd,' hoor ik mezelf zeggen. 'Wat leuk.'

Het klink even hol als ik me voel, maar dat lijkt Stella niet op te vallen.

'Je mag het niet tegen Gabriel zeggen. Het is nog erg vroeg en... Nou ja, ik heb het hem nog niet verteld.'

'Nee, dat beloof ik.'

Ik val haar om de hals en ze slaat haar armen om me heen.

'We waren het al een hele poos aan het proberen. Al bijna zolang ik hier woon. Hij dacht dat er iets mis was, maar het had gewoon even tijd nodig, dat is normaal,' zegt ze met haar gezicht half begraven in mijn haar.

'Dat wist ik niet...' zeg ik, 'dat jullie het probeerden.'

'Ik zou liever nog even wachten, ik heb het nu zo druk met mijn werk. Maar Gabriel wil het graag. Hij...'

Ze slaat haar ogen neer.

'Wat?'

'Voor hem was het bijna een obsessie. Het gaat niet zo goed met hem, met zijn boek... Het komt nooit af en hij is er toch nooit tevreden over. En, ja... hij wordt natuurlijk ouder.'

Ik knik.

'Het is misschien wel logisch,' gaat ze verder. 'Maar... ik heb twee keer een miskraam gehad.'

'Wat?'

'Ja, in een vroeg stadium, dat komt wel vaker voor... Maar hij was zo boos.'

'Was hij boos op jou?'

'Misschien niet op mij. Maar kwaad! Bijna gek van woede.'

'Stella...' begin ik, zonder te weten hoe ik mijn zin moet afmaken. Ik wil iets aardigs zeggen, dat het niet aan haar ligt, ook al weet ik dat ze dat wel weet en ook al klinkt het kinderachtig, maar er schiet me niets anders te binnen.

'Het ligt niet aan jou.'

Plotseling heeft ze tranen in haar ogen.

'Maar stel je voor dat het wel aan mij ligt,' zegt ze zacht. 'Stel je voor dat er iets aan mij mankeert en dat het nooit gaat lukken. Het ligt in elk geval niet aan Gabriel, want ik raak wel zwanger... Het blijft alleen niet zitten.'

Nu huilt ze.

'Stella...' zeg ik weer, en ik trek haar opnieuw naar me toe. Ze huilt op mijn schouder en ik aai over haar haar. Ik voel me onhandig; ik zou iets verstandigs en troostends moeten zeggen, maar ik weet niet wat. Het is de wereld op zijn kop dat ik haar moet troosten, terwijl zij altijd voor zichzelf heeft gezorgd. Maar dan bedenk ik dat het helemaal niet de wereld op zijn kop is, want ze heeft mij nooit getroost, ik heb nooit op haar schouder uitgehuild. Zij uit haar bezorgdheid door eisen te stellen, realiseer ik me; ze denkt dat het voor iedereen even gemakkelijk is als voor haar om gewoon knopen door te hakken en dingen voor elkaar te krijgen: een zwaar vakkenpakket, een bijbaantje in de kwekerij, een gedisciplineerde universitaire studie zonder gemiste punten of verprutste tentamens, bedrijfseconomie, een vriendje met een vaste baan en een appartement. Haar relatie met Gabriel is het eerste onlogische wat ze ooit heeft gedaan, het eerste wat niet in een strak plan lijkt te passen. En tegelijkertijd is ze die onlogische relatie binnengestapt met dezelfde doelbewustheid die ze bij alles heeft, in de overtuiging dat het zal lukken: een verhouding met een veel oudere man, de nieuwe baan, de verhuizing naar Skåne, de tuin die ze helemaal naar eigen inzicht heeft veranderd. Ze heeft het er ook over gehad dat ze het huis wil opknappen, de keuken en de badkamer wil renoveren, alles wil betegelen en nieuwe vloeren wil leggen. Gabriel bemoeit zich er niet mee, hij is nogal gemakzuchtig. Ik denk wel dat ze zich daaraan ergert.

Ik strijk over Stella's haar en ze stopt al snel met huilen. Ze lijkt zich bijna te schamen dat ze zich zo heeft laten gaan, in het openbaar nog wel. Ze kijkt om zich heen of iemand ons ziet, haalt dan een zakdoek uit haar handtas, snuit haar neus en fatsoeneert haar haar.

'Zie ik er heel verschrikkelijk uit?'

'Nee, natuurlijk niet.'

Ze toont een fletse glimlach.

'Ik wil hier voorlopig echt nog niet met Gabriel over praten. Dus mondje dicht. Geen woord hierover.'

'Nee, dat beloof ik,' zeg ik weer.

's Avonds belt Peter. Ik kan hem luid en duidelijk verstaan, hoe ver hij ook weg is, nu nog in Barcelona. Hierna willen ze verder afzakken langs de kust, misschien wel tot aan Gibraltar. Hij klinkt vrolijk, maar een beetje stijf. Op de achtergrond hoor ik stemmen, sommige ervan vrouwelijk, het geluid van hakken op plavuizen, een vrouw die lacht. Hij zegt dat hij in een restaurant zit.

'Hebben jullie het naar je zin?' vraag ik.

'Ja, zeker. Het zou jou ook goed bevallen in Barcelona.'

'Ja, vast wel.'

Ik weet niet wat ik tegen hem moet zeggen. Het inzicht dat er nog maar een paar weken voorbij zijn sinds we elkaar voor het laatst hebben gezien, maar dat hij al bijna helemaal uit mijn bewustzijn is verdwenen, is bevrijdend. Ik mis hem niet eens wanneer ik zijn stem hoor, bedenk ik. Het kan me niet schelen van wie die lach is.

'En hoe gaat het met jou?' vraagt hij op die nieuwe, beleefde toon.

'Goed. Ik doe niet zoveel. Vooral lezen en eten.'

'Dat klinkt gezellig. Echt als zomervakantie.'

Dat attente klinkt mij niet oprecht in de oren; ik vind het niet leuk dat hij probeert te doen alsof. Ik wil niet meer doen alsof, wil niet meer praten en schraap mijn keel.

'Stella roept me, ik moet helpen met het eten. Nou... het beste dan maar.'

'Ja, jij ook het beste.'

We hangen precies tegelijk op, snel. Misschien zijn we allebei even opgelucht.

Stella en ik lopen door het bos naar het meer, over gladgesleten boomwortels en bladeren van vorig jaar. De bomen om ons heen zijn hoog, met stammen als pilaren; het is net alsof we door een zuilenhal lopen, een kathedraal met een dak van boomkronen. Ik kijk omhoog naar de hemel, die blauw flikkert tussen het groen, en zie een vogel hoog boven ons; hij zit stil op een tak naar ons te kijken. Zelfs in de schaduw onder de bomen is het heet, de lucht lijkt stil te staan.

Aan weerskanten van het pad ligt een tapijt van lichtgevend groene klaverzuring. Ik breek er een paar blaadjes van af en stop ze in mijn mond. Ze smaken zuur, net zoals ik me herinner uit het bos waarin we speelden toen we klein waren, maar ik krijg de blaadjes, die zacht worden in mijn mond, niet weg en spuug ze weer uit. Stella kijkt me geamuseerd aan.

'Je kunt ze in de sla doen,' zegt ze.

Ik trek mijn neus op. Ze glimlacht.

Het meer ligt er stil en donker bij. Stella wil niet bij het zandstrandje zwemmen, maar bij een paar rotsen verderop. Het is prettiger om er daar in te gaan, daar heb je niet het gevoel dat de grond onder je voeten wegzakt. Ze heeft haar haar met een elastiekje in een gladde knoet boven op haar hoofd gebonden en in haar strapless badpak ziet ze er tijdloos en elegant uit, als een oude filmster. Ik voel me lomp naast haar, maar dat vergeet ik zodra het water me omsluit. Het voelt koeler aan vandaag, het is zo warm dat het meteen lekker is, maar toch verkoelend. Ik ga op mijn rug liggen en doe mijn ogen dicht. Aan het oppervlak heeft het water bijna lichaamstemperatuur. Ik voel me zo soezerig dat ik bang ben in slaap te vallen; ik voel mijn hoofd steeds verder onder water zakken naarmate ik me meer ontspan en alle geluiden worden gedempt, vertraagd. Het water heeft de kleur van stroop, of hars, ik ga met mijn vinger over het wateroppervlak. Het ziet er bijna taai uit, alsof het dikker is geworden, aan het stollen is. Als de temperatuur nu snel zou dalen, zouden Stella en ik net insecten zijn in een stuk barnsteen, bedenk ik, net als de inwoners van Pompeji, maar dan ingekapseld in stroopkleurig ijskoud water in plaats van in as. Dan zouden de archeologen ons uit het gele ijs kunnen hakken om ons te bestuderen. Ik moet lachen bij het idee.

Een eindje verderop wipt Stella's hoofd op en neer. Ze zwemt naar het midden van het meer, keert om en zwemt terug, herhaalt dat een paar keer; ik raak de tel van haar baantjes kwijt. Haar slag lijkt wat onhandig, alsof ze niet zo goed kan zwemmen, maar ze lijkt doelbewust. Opeens is ze naast me, watertrappelend en hijgend.

'Dit is een ongelooflijk goede training,' zegt ze tussen de inademingen door. 'Je gebruikt echt je hele lichaam.'

Ik knik. Haar bewegingen brengen kolkjes van koeler water om ons heen naar boven. Ik voel dat ik kippenvel krijg op mijn armen, die een paar seconden later weer glad worden als de brandende zon ook het nieuwe water in een mum van tijd heeft opgewarmd. Stella kijkt naar de overkant van het meer, ze knijpt haar ogen half dicht en wijst.

'Heb je het gezien?' vraagt ze. 'Ik zei toch dat de waterlelies nu bloeien?'

Ik draai mijn hoofd om, en daar zijn ze inderdaad: een heleboel waterlelies, als een gebloemde deken op het wateroppervlak. Niet te geloven dat ik ze niet gezien heb toen ik hier alleen was. Ze bewegen langzaam en deinend, ook al lijkt het water volkomen stil, misschien door stromingen op de bodem die aan hun stelen trekken. Ze zien er loom uit, vorstelijk, als fakkels die langzaam naar het oppervlak en naar het licht zijn opgestegen, en stil en waardig ontloken zijn in het groene gebladerte.

'Kun je ze plukken?' vraag ik. 'Om ze thuis in een vaas te zetten?'

'Misschien niet in een vaas, maar in een schaal met water moet kunnen. Zal ik er een halen?'

Het is een eind zwemmen naar de overkant; misschien overschat ze haar kunnen. Ik schud mijn hoofd.

'Ik vind het eigenlijk maar vieze dingen.'

Stella lacht en strijkt een lok opzij die zich uit haar knoetje heeft losgemaakt en over haar ene wenkbrauw is gevallen. Dan draait ze zich om en zwemt weer naar de rotsen. Een eindje het water in ligt een grote rots net onder het oppervlak, als een zandbank in het meer; het water eromheen rimpelt waarschuwend. Stella hijst zich erop en zwaait naar me. Het is een raar gezicht, alsof ze op het water zit. Ik lach, zwaai terug en zwem naar haar toe.

'Je lijkt wel de kleine zeemeermin,' zeg ik.

Ze lacht ook en glijdt weer het water in, we zwemmen samen naar het land.

Nadat we ons met onze handdoeken hebben afgedroogd, spreiden we die uit op de rotsen en gaan naast elkaar zitten. De steen is glad en comfortabel, net als in de scherenkust. Ik speel verstrooid met een paar elzenkatjes, Stella drinkt water uit een oude limonadefles die ze heeft meegenomen; ze neemt een paar grote slokken en hapt daarna naar adem.

'Ik denk dat ik in de herfst ga beginnen met zwemmen,' zegt ze. ''s Ochtends voor het werk. Het zwembad zit er vlak naast. Ik wil graag echt goed leren zwemmen. En je wordt er sterk van.'

Ik gluur naar haar lichaam. Ze is kleiner en fijner dan ik, daar was ik vroeger al jaloers op. Zo te zien hoeft ze niet te zwemmen om in vorm te blijven en van een groeiende buik is nog geen spoortje te zien. Mijn ogen blijven steken bij een plek aan de binnenkant van haar ene dij, vlak onder de rand van haar badpak. Het is een rond plekje, zo groot als een overhemdknoopje of een klein muntje, dat donker afsteekt tegen haar gladde, lichte huid; vurig donkerrood, bijna paars. Als ze me ziet kijken legt ze snel haar hand erop en kijkt me even aan met een beschaamde blik, alsof ze zich betrapt voelt.

'Hoe kom je daaraan?' vraag ik.

Ze schudt haar hoofd en glimlacht bezwaard.

'Ik heb me gebrand, kluns die ik ben,' zegt ze.

'Waaraan?'

'Ik heb een sigaret laten vallen.'

Ze kan lang niet zo goed liegen als ik, realiseer ik me, en

het idee dat ik ergens beter in ben dan zij doet me goed. Ze gaat anders praten, gemaakt, en het is ook nog een verklaring van niks. Het zou op zich wel een brandplek kunnen zijn, maar als je een sigaret laat vallen krijg je nooit zo'n perfect ronde plek. Bovendien moet ze dan in haar ondergoed hebben zitten roken. Ik glimlach even. Ze kijkt me aan met een blik die er geforceerd ontspannen uitziet.

'Je rookt toch niet?' vraag ik.

Ze kijkt weg.

'Soms. Op feestjes.'

Ik laat het onderwerp rusten, omdat ze zich er duidelijk onprettig bij voelt. Ik vind het wel grappig dat ik een teer punt bij haar heb gevonden, ook al begrijp ik het niet. Misschien zit er iets achter wat zij gênant vindt, maar een sigaret op je been laten vallen vind ik niet iets om je heel erg voor te schamen. Dan bedenk ik dat ze het wel met opzet kan hebben gedaan, dat ze zichzelf heeft gebrand. Ik ken die verhalen alleen uit de krant, en eerst komt het me vreemd voor, maar hoe meer ik erover nadenk, hoe logischer het wordt: Stella, die alles onder controle heeft, alles zo graag goed wil doen... Dat is toch het type vrouwen dat zoiets doet? Straft ze zichzelf ergens voor? Ik slik, bang voor de kant die mijn gedachten op gaan: Stella huilend in mijn armen in het park bij het kasteel, haar 'Stel je voor dat het aan mij ligt'. Vanaf daar is de stap naar hardhandige zelfbestraffing misschien niet zo groot.

Opeens word ik misselijk. Ik gluur naar Stella, die er weer volkomen kalm uitziet. Het lijkt of ze lekker zit te genieten van de zon op de warme rotsen. Ze geeft me de waterfles aan, gaat op haar buik op de handdoek liggen en doet haar ogen dicht.

Wanneer Stella aan het werk is en Gabriel naar de stad is gegaan, loop ik de trap op naar boven en ga de slaapkamer in. Ik weet niet wat ik zoek, maar de gedachte aan het plekje op Stella's dij laat me niet los. Ik wil bewijzen voor of tegen hebben. Tegelijkertijd probeer ik mezelf voor te houden dat ik er niet te veel belang aan moet hechten en er geen drama van moet maken. Het zou best maar één keer gebeurd kunnen zijn, bedenk ik, op een heel slechte dag. Dat kan ik me heel goed voorstellen, ook al zou ik het zelf nooit doen. Ook in de manier waarop we onze boosheid uiten, verschillen Stella en ik: haar boosheid is altijd explosiever geweest, dramatischer. Misschien heeft ze het puur uit dwarsigheid gedaan, in een soort terugval in de puberteit. Misschien heeft ze er achteraf spijt van, vindt ze het een overdreven reactie waar ze zich nu voor schaamt en wil ze er daarom niet over praten.

Stella heeft zolang ik me kan herinneren een dagboek bijgehouden. Ik was altijd jaloers op de zelfdiscipline die ze al jong bezat; ze schreef echt elke dag, al was het maar een korte aantekening. Toen we klein waren, mocht ik haar notities weleens lezen. Later werden ze steeds geheimer en ging ze haar dagboek verstoppen, ook al zou ik er nooit naar hebben gezocht of erin hebben gelezen. Ik vind het niet prettig om te veel van andere mensen te weten. Ik heb die drang nooit begrepen en me altijd verbaasd over de schaamteloze nieuwsgierigheid van andere mensen: het gesnuffel van schoolvriendinnetjes in de laden van mijn bureau wanneer ik hen alleen liet in mijn kamer, of mijn eerste hospita in Stockholm, die me een gemeubileerde kamer vol spullen verhuurde, en er bijna van uit leek te gaan dat ik in de laatjes en fotoalbums, stapels papieren en videobanden zou neuzen.

Ik kan Stella's dagboek nu gemakkelijk vinden. Het ligt in het laatje van haar nachtkastje tussen allerlei dingetjes en dangetjes: lippenpommade, pennen, zakdoekjes en een pakje condooms. Dat laatste bezorgt me een onplezierig gevoel over mijn gesnuffel, maar toch haal ik het dagboek tevoorschijn.

Het is van glimmende, Aziatische stof, met een dessin van takken van bloeiende fruitbomen en vogels tegen een bleekblauwe achtergrond, hetzelfde soort notitieboekje dat Stella al gebruikte toen ze klein was. Ik sla de eerste bladzij op, daar staat een datum van ruim een jaar geleden, augustus vorig jaar, waarschijnlijk vlak nadat Stella en Gabriel thuis waren gekomen van hun vakantie in Italië. Het zijn allemaal korte aantekeningen in Stella's keurige en duidelijk leesbare handschrift: *Planningsvergadering met plantsoenendienst, besloten dat de hyacinten bij het gemeentehuis doorgaan. Met G. uit eten na het werk,* luidt de eerste notitie. *Bollen besteld, veel geel + brem voor de Slottsgatan en het plein. Met Sara gepraat, misschien gaan we er over een paar weken een weekend heen.* Het gaat in dezelfde trant verder: voornamelijk notities over het werk en in dezelfde telegramstijl iets over wat er thuis is gebeurd. *G. en ik zijn naar Ikea geweest om kasten te kopen voor de slaapkamer en de berging. Keelpijn, hoop dat ik niet verkouden word voor de conferentie volgende week.*

Ik leg het boek weer in de la, verbaasd over de onpersoonlijke toon ervan. Misschien heeft ze niet meer zo'n behoefte aan een dagboek, bedenk ik, misschien heeft ze die notities over het dagelijkse leven vanuit een soort oud plichtsgevoel gemaakt. Ik duw het laatje weer dicht en trek de sprei recht op de plek waar ik heb gezeten.

's Avonds maakt Gabriel zeewolf klaar op de barbecue. Triomfantelijk laat hij me de vis zien voordat hij hem op het rooster legt. Al zolang ik hier ben, heeft hij het erover dat hij eigenlijk een keer zeewolf moet klaarmaken, omdat ik dat nog nooit gegeten heb. Stella maakt een aardappelsalade met aardappelen, radijsjes, rode ui en kruiden uit eigen tuin. Ze is er trots op dat ze zoveel zelf verbouwt. 'Als het oorlog wordt, kunnen wij onszelf voorzien,' zegt ze altijd, ook al is dat niet helemaal waar. Ik hoor haar door de woonkamer heen wanneer ze in de keuken met pannen rammelt en moppert over luis op de dille. Ik hoor Gabriel tegen haar praten wanneer hij iets komt halen en ze lachen samen, een gedempte lach die vertrouwelijk klinkt.

Ik blader in een oud kunstboek dat ik in een van de boekenkasten in de woonkamer heb gevonden. Het heeft een vergeelde kartonnen omslag en bevat gekleurde illustraties van schilderingen uit de vroege Renaissance, die dof en bleek zijn: fresco's uit Italië met een onzeker perspectief. Ik vraag me af of de schilderijen in het boek ooit scherper van kleur zijn geweest, of ze felrood en -blauw waren toen het boek net gedrukt was, of dat ze er altijd zo uit hebben gezien, omdat ze geen helderder kleuren konden drukken.

Gabriel maakt een hoop heisa over de vis die we eten. Hij is mooi, met strepen van het rooster van de barbecue, en lekker, ook al vind ik hem niet bijzonder.

'Hoe vind je hem?' vraagt hij als ik de eerste hap heb genomen.

'Heerlijk,' zeg ik.

'Je moet er een beetje citroen op doen.'

Hij geeft me een schaaltje aan met partjes citroen. Ik pers er wat sap uit over mijn stukje vis, proef nog eens en knik naar hem. Vervolgens drink ik in een paar slokken mijn wijnglas leeg. Het is lekkere wijn, die gemakkelijk wegdrinkt. Ik reik naar de fles en schenk mezelf nog eens bij. Stella vertelt over een keer dat de zeewolf van Gabriel jammerlijk mislukt was en ze lachen allebei. Ik luister niet. We delen een geheim, realiseer ik me. Geheimen zijn intimiteiten en intimiteiten betekenen iets; ze verbinden mensen met elkaar. Onze schuld is een soort band, bedenk ik: we hebben schuld uitgewisseld zoals anderen ringen uitwisselen. We dragen die nu samen, de intimiteit van bedrog.

Gabriel kijkt nog steeds niet naar me. Hij kijkt naar Stella en lijkt extra aandacht te hebben voor wat ze zegt. Hij lacht wanneer ze vertelt over iets wat in de krant heeft gestaan. Ze hebben dikke pret om de plaatselijke krant die nieuws maakt van niets, vooral nu het zomer is en er niets gebeurt: reportages waarin mensen hun recordgrote groenten en grappig gevormde aardappelen showen, een feelgoodverhaal over een hamster die verdwenen was en weer is teruggekeerd bij zijn eigenaars, ze lachen er samen om. Het gevoel in mijn buik is nieuw, het is jaloezie met nog iets, het lijkt op misselijkheid en op het gevoel dat ik me vaag herinner van toen ik als kind een keer ergens met mijn buik op ben gevallen, zodat me de adem wordt afgesneden, ik hap naar lucht, maar er gebeurt niets; misschien is er iets binnen in me op slot gegaan, zoals in een kramp. De misselijkheid overspoelt me wanneer Gabriel met zijn liefste blik naar Stella kijkt, vol tederheid, zo heeft hij nog nooit naar mij gekeken. Ik heb andere blikken gekregen: donkere, opgewonden blikken. Dat is niet genoeg. Wanneer ik zie hoe hij naar Stella kijkt, voel ik dat ik daar niet meer genoeg aan heb. Kijk naar me, denk ik, kijk naar me met die lieve blik. Kijk naar me en houd op met lachen. Maar hij houdt niet op.

De woonkamer is net een juwelenkistje, bedenk ik wanneer ik op het dikke oosterse tapijt sta. Het is donkerrood, met patronen als prisma's, diamanten. De kristallen kroonluchter aan het plafond is ook schitterend, net een oude dame met rijen halskettingen. En dan de boeken, kast na kast, de schilderijen, de doorgezakte bank, de tegelkachel, een bloemtafel met geraniums; ik zou jaloers zijn op iedereen die in een huis mocht wonen met zo'n kamer. Waardeert Stella het wel? Vindt ze het misschien rommelig, vindt ze dat het snel stoffig wordt? Ze heeft niet veel over het huis gezegd, alleen een paar opmerkingen gemaakt over dingen die niet werken, en over het opknappen van de keuken en de badkamer. Misschien wil ze eigenlijk liever ergens anders wonen, het liefst in Stockholm natuurlijk, of misschien in Malmö, en hier alleen de zomer doorbrengen, en door het jaar heen af en toe een weekend.

Ik strijk met mijn vinger over een serie boekruggen, vraag me af of ik een van die boeken zou moeten lezen. Op een krukje ligt een stapel boeken van Stella. Het zijn flora's en tuinboeken en ik pak er een op dat ouder is dan de rest. Het *Naslagwerk voor de landbouwer, met medewerking van talrijke deskundigen* is zwaar en heeft een donkerbruine leren band met de titel in goud op de kaft. Ik blader erin: appel, distel, dorsen, ontwatering, otter, parasiet; ik stop en kijk vluchtig naar de plaatjes. Ik vind ze smerig, maar toch fascinerend, ze doen me denken aan de zwarte klompjes bladluis op de Oost-Indische kers. Ik lees de tekst door: 'Parasiet: dier dat of plant die zijn voedsel haalt uit een ander levend organisme, "gastheer" genoemd. Hele parasieten komen in zeer kleinen getale voor onder de hogere planten in Zweden. Ze brengen de gastheer in de regel schade toe door hem van voedsel te beroven, ziekelijke vervormingen aan te richten of de aangetaste weefsels te vernietigen en daardoor ziekte en dood te veroorzaken.' De lucht in de kamer is muf. We zouden meer moeten luchten, bedenk ik, maar misschien haalt dat niets uit op dit soort dagen, of in dit soort zomers, met een onbeweeglijke, plakkerige lucht; als we alle deuren en ramen wijd openzetten, zou het nog steeds niet koeler of frisser worden.

Opeens staat Gabriel in de deuropening en ik sla het boek dicht.

'Wat doe je?'

'Ik wilde iets te lezen zoeken.'

Hij knikt, gaat voor een van de kasten staan en lijkt een bepaald boek te zoeken. Ik kan zijn geur ruiken, doe snel mijn ogen dicht en denk aan de broeikas, zijn kussen, zijn greep om mijn armen, en ik voel dat mijn wangen meteen gaan gloeien.

'Hier.'

Hij geeft me een klein, dik boekje met een blauwe leren kaft. *Selections from the Poetical Works of Algernon Charles Swinburne,* staat erop. Het papier is broos en vergeeld, de bladzijden zijn rafelig aan de randen. Iemand heeft ze vast met een stomp mes opengesneden.

'Dit vind je vast mooi. Het sluit bovendien goed aan bij je scriptie.'

'Vind jij het goed?'

Hij schraapt zijn keel.

'Eleganter vind je het haast nergens,' zegt hij. 'Pathetischer ook niet. Begrijp je?'

Zijn gezichtsuitdrukking is nu anders, zachter. Zijn stem ook, en zijn blik op mij is eindelijk het soort blik dat ik wil. Ik knik en bedenk dat ik dat wil: dat hij meer boeken uit zijn boekenkast trekt, ze aan mij geeft, me aankijkt met zijn lieve blik en wil dat ik hem begrijp. Ik bedenk dat ik hem ook echt wil begrijpen.

Ik hoor hem telefoneren in de keuken. Hij staat over het aanrecht gebogen en krabbelt verstrooid iets op het notitieblok waar Stella en hij de boodschappen op schrijven. Op de plaats in de hal waar ik sta ben ik voor hem niet zichtbaar, maar ik kan hem van achteren bekijken, zijn schouders, de mouwen van zijn T-shirt, en waar die eindigen zijn armen. Hij trommelt ongeduldig met de vingers van zijn ene hand op het aanrecht, ik begrijp dat hij in de wacht hangt. Dan kucht hij.

'Ja, ik heb eerder gebeld,' zegt hij. 'Het gaat om de verzekering.'

Hij is even stil en luistert.

'Maar ik heb dat klantnummer verdomme al ingetoetst,'

zegt hij op een toon die even moedeloos als geïrriteerd is. 'Daarom ben ik toch met u doorverbonden?'

Hij zucht, bladert door een stapel papieren die hij voor zich heeft en begint een lange rij cijfers op te lezen.

'Nee, vier, zeven. Víér, zéven.'

Hij haalt een hand door zijn haar, dat gebaar heb ik hem nu al vaak zien maken, het lijkt een reflex. Ik vind het leuk hem dat te zien doen en bedenk dat hij dat vast zijn hele leven al doet, dat hij er in zijn puberjaren mee begonnen is en het sindsdien is blijven doen, niet meer zozeer uit ijdelheid, maar meer uit gewoonte. Hij heeft verteld dat in de verzekeringspolis wordt beloofd dat de auto wordt opgehaald als er iets defect is; hij heeft er al een paar keer over gebeld, maar er is nog niemand langs geweest.

Nu zucht hij weer.

'Hoezo, kon het niet vinden?'

Hij luistert en legt de pen die hij in zijn hand heeft neer.

'Maar waarom hebben jullie dan niet gebeld? Nee, dat begrijp ik niet. En de man die de auto zou halen, waarom heeft die dan niet gebeld? Of de vrouw? Waarom heeft niemand gebeld?'

Hij pakt de pen weer op.

'Maar zijn jullie dan volslagen incompetent, verdomme? Moet ik jullie een wegenatlas sturen?'

Hij luistert, doet enkele vergeefse pogingen om de persoon aan de andere kant te onderbreken en mompelt een paar keer 'ja', waarna hij op zachte en beheerste toon zegt: 'O. Nou, bedankt dan.'

Er klinkt een zacht piepje wanneer hij de knop indrukt die het gesprek beëindigt en dan smijt hij de telefoon op het aanrecht.

'Verdomme!' roept hij. 'Achterlijke imbecielen!'

Hij spuugt die twee woorden bijna uit, ik hoor dat de telefoon in de gootsteen glijdt en met een rammelend geluid stil komt te liggen. Hij verdwijnt uit mijn gezichtsveld.

'Achterlijke imbecielen!' roept hij weer. Er volgt een klap en ik hoor kunststof breken, het geluid verspreidt zich door de keuken. Een knopje met een vijf erop stuitert de hal in en landt bijna voor mijn voeten. Ik doe snel een stap achteruit, trek voorzichtig het kralengordijn in de deuropening open en glip erdoorheen de hal uit, de kleine bijkeuken met de bloempotten in, en de trap af naar het gazon. Ik laat Gabriel met zijn boosheid in de keuken achter.

Wanneer Stella thuiskomt uit haar werk is het nog vroeg in de middag. Ze heeft het niet elke dag even druk, zo midden in de zomer. Ik zit op de bank op het terras te lezen. Het is de warmste dag tot nu toe, daar hadden ze het over op de radio, hitterecords op een aantal plaatsen in het land. Het nieuws gaat alleen over het weer, het is de warmste zomer sinds ze ergens begin twintigste eeuw zijn begonnen met meten. Aan de horizon hebben zich nu een paar wolken samengepakt, maar de zon schijnt nog onbarmhartig.

'Zouden we eindelijk onweer krijgen, wat denk je?' vraagt Stella, en ze tuurt naar de wolken.

Ik schud mijn hoofd.

'Daar hebben ze niks over gezegd.'

Hoewel het me wel een goed boek lijkt, kan ik me er moeilijk op concentreren. Ik voel me rusteloos, blader van het ene gedicht naar het andere. We zouden een onweersbui nu goed kunnen gebruiken, een ontlading, en een flinke plensbui. Stella steekt met een bezorgd gezicht haar wijsvinger in de aarde van een paar bloempotten. Ze ziet er bleek uit in haar lichte jurk, haar voorhoofd glimt.

'Hoe gaat het met je?' vraag ik.

Ze haalt haar schouders op.

'Ja, och. Goed. Ik denk dat ik maar een eindje ga wandelen.'

'Zal ik meegaan?'

Ze schudt haar hoofd.

'Nee, blijf jij maar lekker zitten lezen. Maar aardig dat je het aanbiedt. Is Gabriel thuis?'

'Hij zou iets gaan halen bij Anders.'

Ze knikt.

'Hoe laat gaat je trein?'

'Rond zeven uur. Tien over, geloof ik.'

'We eten toch nog wat voordat je vertrekt?' vraagt ze.

'Ja, graag.'

Ik kan haar met mijn blik een hele poos volgen, ik zie hoe ze schuin het gazon oversteekt en door de berm naar de grote weg loopt. Ze gaat waarschijnlijk naar het meer; daar gaat ze meestal heen. Ik lees nog een paar regels in het boek en wanneer ik weer opkijk is ze weg.

Even later komt Gabriel thuis. Hij moppert een beetje omdat ze de auto nog steeds niet hebben opgehaald. Hij heeft niets gezegd over zijn woede-uitbarsting of over de kapotte telefoon; hij denkt vast dat ik daar niets van heb gemerkt. Ik kan slecht omgaan met woede, ik heb er geen ervaring mee.

'Dit is echt goed!' zeg ik, en ik houd het boek een stukje naar hem omhoog wanneer hij me op het terras passeert. Hij blijft staan.

'O, fijn. Ik dacht wel dat je het mooi zou vinden.'

Ik word vrolijk als hij naar me glimlacht.

'There are sins it may be to discover,
There are deeds it may be to delight.
What new work wilt thou find for thy lover,
What new passions for daytime or night?' lees ik, en hij lacht.

'Ja, dat is fraai. Is dat uit *Dolores*?'

'Ja.'

'I could hurt thee – but pain would delight thee.'

Hij kijkt me recht aan als hij dat zegt, en ik slik.

'Staat dat er?'

Hij knikt.

'Zo ver ben ik nog niet.'

Achter hem trilt de lucht boven het gazon van de hitte, het lijkt wel gesmolten glas. Er zijn nu bijna geen insecten in de lucht, geen vlinder. Ik hoor niet eens vogels, realiseer ik me; misschien zijn ze het bos in gegaan, hebben ze een koeler plekje opgezocht. Het is net of de hele natuur beeft voor de warmte en zich eraan onderwerpt.

'Is Stella nog niet thuis?' vraagt Gabriel.

'Jawel. Ze is een eindje gaan wandelen.'

Hij knikt.

'Weet je waar ze heen is?'

'Naar het meer, geloof ik.'

Opeens staat hij achter me. Hij legt zijn handen op mijn schouders en laat ze langs mijn blote armen naar beneden glijden. Ik doe mijn ogen dicht, voel dat mijn armen kippenvel krijgen van zijn aanraking. Hij pakt het haar in mijn nek in een staart bij elkaar, tilt het op en trekt er voorzichtig aan, eerst speels, dan harder. Hij dwingt mijn hoofd naar achteren totdat ik recht de hemel in kijk, plat en donker kobaltblauw. Hij buigt zich over me heen, kijkt me aan, *I could hurt thee – but pain would delight thee.* Zijn gezicht is nu betrokken.

'Je kunt beter even meekomen naar binnen,' zegt hij.

Mijn nek en mijn hoofdhuid doen nu pijn. Ik probeer te knikken, maar dat kan niet. Kennelijk ziet hij dat aan me, hij laat mijn haar gauw weer los en verdwijnt door de deur naar de woonkamer. Ik sta op van de bank en loop achter hem aan.

2

Ook ditmaal is de trein op tijd, maar nu is het vlakke landschap grijs, er hangt mist in de lucht. Mijn haar krult van het vocht, dat snel onder mijn jas kruipt, en ik sta te kleumen, ook al is het waarschijnlijk niet eens zo koud.

Gabriel is te laat, er is geen mens op het station. Ik lees de aanplakbiljetten van de roddelbladen op de muur van de gesloten kiosk, de tips en puzzels van de damesbladen: allerheiligenbuffet, haakpatronen en een kruiswoordpuzzelbijlage op de koop toe. Wanneer Gabriel eindelijk komt, lijkt hij zich er totaal niet van bewust te zijn dat hij laat is.

'Jee, sta je al lang te wachten?' vraagt hij verbaasd.

'Twintig over hadden we toch afgesproken?'

'Ik dacht twintig voor, sorry.'

'Het geeft niet.'

Hij omhelst me, trekt me naar zich toe en houdt me stevig vast. Ik boor mijn gezicht in zijn sjaal en adem zijn geur in. Het is dezelfde geur als van de zomer: zoet, bijna te zoet, op het randje af van verstikkend, maar ik houd van die geur, het ruikt vertrouwd. Het is net alsof daarmee de wereld krimpt tot het kleine gebied om hem heen waar die geur hangt. Ik wil hem niet loslaten. Hij draagt een donkere jas die er nieuw en duur uitziet; hij staat hem goed. Dat zeg ik tegen hem en hij glimlacht en zegt dat ik een schat ben.

In de auto zwijgen we. Het landschap is nu anders. De velden die van de zomer geel waren zijn zwart en omgeploegd;

het lijken zere plekken, alsof iemand er met nagels zo lang als klauwen aan heeft gekrabd. Een akker is ondergelopen na alle regen van de herfst, is een meertje geworden waarop twee zwanen rondglijden als schitterend witte vlekken. Je kunt de horizon nauwelijks zien, hemel en aarde vloeien in elkaar over in een grijze nevel. Het is warm in de auto, vochtig.

'Hoe gaat het met je scriptie?' vraagt Gabriel.

'Wat?'

'Nou, Rossetti?'

'O... Daar heb ik nog haast niets aan gedaan. Hoe gaat het met je boek?'

'Dat is af.'

Ik kijk hem aan.

'Het laatste stuk heb ik eind september afgemaakt.'

'O... En waren ze tevreden bij de uitgeverij?'

Hij glimlacht even.

'Ze vinden het prachtig. Ze gaan proberen het al volgend voorjaar uit te geven.'

'Goh. Gefeliciteerd.'

Hij knikt afwezig, trommelt even met zijn wijsvingers tegen het stuur en zet de ruitenwissers in een hogere stand, het gaat harder regenen.

Dit is niet de kleurige herfst waar Stella het over had toen we bij het kasteel waren, niet de mooie, knisperende oktoberherfst voor op een ansichtkaart, met een hoge, heldere lucht en sprankelende kleuren waarvoor ik volgens haar terug zou moeten komen; die herfst is al geweest. Dit is de late herfst, guur en regenachtig. Je ruikt geen vermolmde bladeren meer, je merkt niet meer dat het zomer geweest is. Het hele landschap ligt te slapen, het heeft de moed opgegeven, losgelaten. Geen herfstkleuren, alleen bruin en grijs, geen blaadjes meer aan de bomen; die liggen nu op de grond, doorweekt in waterplassen, gepureerd, een pap van voormalige blaadjes, een dekbed van bladeren op het gazon. Ik weet dat je moet harken, ook al weet ik niet meer waarom. Omdat het gras eronder anders geen lucht krijgt? Of geen licht? Het lijkt mij dat de bladeren het gras in de winter mooi kunnen verwarmen; misschien ligt het daar juist lekker, onder zijn deken van bladeren.

De tuin is op zijn retour. De zonnebloemen lijken wel vogelverschrikkers nu ze uitgebloeid zijn; de doosvruchten in het midden zijn nat en zwart, de verschrompelde blaadjes staan alle kanten op. In de bijkeuken trek ik Stella's rubberlaarzen aan en ik loop een rondje over het erf. Ik zie de tomaten die rijp geworden zijn maar nooit geplukt, met gebarsten velletjes waar het vruchtvlees blootgelegd is en verdroogd; rabarberplanten die zo groot zijn als paraplu's met stelen zo dik dat ze waarschijnlijk niet meer te eten zijn. Ze zijn het lekkerst als ze nog niet zo dik zijn, weet ik nog, daarna worden ze wrang en houtig. De peultjes zijn opgezwollen en bobbelig, verwrongen, ook te groot om eetbaar te zijn, behalve voor de wormen. Alleen de peterselie is nog steeds groen, schitterend in al het grijsbruin. In de krullerige blaadjes hebben zich waterdruppeltjes verzameld. Ik breek een takje af en stop het blad in mijn mond, het smaakt scherp naar ijzer. In de moestuin bloeien geduldig een paar schrale goudsbloemen.

De meeste planten in de broeikas zijn dood. De planten die nog leven zijn gaan woekeren, ze hadden gesnoeid moeten worden, of gewied. Alleen met de bomen in potten lijkt het goed te gaan: met de palmen, de citrusbomen en de grote engelentrompet. Ik voel met mijn wijsvinger in de pot van de engelentrompet; de aarde is droog. Hij hangt een beetje, maar ziet er gezond uit, Gabriel heeft hem vast water gegeven. Ik vul de gieter die onder de planttafel staat en giet zoveel in elke pot dat die overloopt. Alsof ik denk dat je het achteraf goed kunt maken, een kinderlijke gedachte. Maar ik blijf gieten, kijk naar het water dat onder uit de pot loopt, over de grond in modderige, zwarte riviertjes en door de kieren tussen de stenen naar beneden.

'Ik ben van plan een tijdje weg te gaan,' zegt Gabriel wanneer we 's avonds in de woonkamer zitten. Hij heeft thee gezet en boterhammen gesmeerd; hij heeft vuur gemaakt in de oude tegelkachel en een plaat opgezet. Het is gezellig, bijna net als van de zomer.

'Waar wil je naartoe?' vraag ik.

Hij haalt zijn schouders op.

'Dat weet ik nog niet. Misschien naar het buitenland. Misschien dat ik in de zomer weer hierheen kan komen, maar ik denk dat ik er nu behoefte aan heb om een poosje ergens anders te zijn.'

'O... en wanneer ga je dan weg?'

Mijn stem klinkt kleintjes. Hij lijkt het niet te merken.

'Zo gauw mogelijk. Zodra ik ergens woonruimte heb gevonden.'

De huilbui komt onaangekondigd. Ik voel mijn ogen prikken en dan komen de tranen. Het is een hevige huilbui, waar ik geen enkele controle over heb; ik zie tranen uit mijn ogen op mijn benen druppelen, die ik onder me heb opgetrokken op de bank. Het lijkt wel regen, onwerkelijk bijna. Trillend over mijn hele lichaam hap ik naar lucht.

Gabriel kijkt me verbaasd aan.

'Wat krijgen we nou...' zegt hij. Hij klink zo aardig en ongerust, opeens lig ik in zijn armen, hij slaat ze om me heen. Ik klamp me stevig aan hem vast, ben niet van plan los te laten. Hij strijkt over mijn haar en ik leg mijn hoofd op zijn schouder, mijn gezicht in zijn hals. Ik adem zijn geur in en moet daarvan nog harder huilen. Hij ruikt zo warm, hij heeft zijn armen om me heen geslagen en mompelt dat ik natuurlijk bij hem op bezoek mag komen als ik dat wil. Hij draagt een lamswollen trui en ik stop mijn handen eronder, wil er het liefst onder wegkruipen. Ik kan de knoopjes van het overhemd dat hij eronder draagt gemakkelijk losmaken en hij protesteert niet wanneer ik dat doe. Hij trekt zijn trui uit en ik trek zijn losgeknoopte overhemd open en leg mijn wang tegen zijn borst, kruip in zijn armen.

Hij pakt een geruite deken die over de ene armleuning van de bank ligt en spreidt die over me uit. Ik trek hem over mijn hoofd, totdat ik in een soort tent tegen zijn borst zit. Ik kan zijn hart horen slaan en nu is het warm onder de deken, met Gabriels armen om me heen, zijn huid, zijn geur, zijn ademhaling kalm en regelmatig. Zorg voor me, denk ik, zorg voor me, zorg voor me. Ik huil nu niet meer. Ik voel me slap en mijn hele lichaam voelt zwaar. Ik wil in slaap vallen, precies zo, en ik val ook in slaap.

Ik word met een stijve nek wakker op de bank. Gabriel heeft het dekbed uit de logeerkamer gehaald en dat over me uitgespreid, samen met de deken, maar toch heb ik het koud. Het regent buiten, een langzame, eentonige novemberregen, druppels van het dak op de vensterbank.

Gabriel is blijkbaar niet thuis. Ik voel me versuft, alsof ik een kater heb, ook al heb ik gisteren niets gedronken. Dat komt van het huilen, ik voel het nog steeds in mijn bijholtes en achter mijn ogen, ik duw voorzichtig met mijn handen boven mijn wenkbrauwen. Ik heb een zeurderig gevoel in mijn hoofd, alsof er een ontsteking zit. Ik sla het dekbed om me heen, loop de keuken in en zet het koffiezetapparaat aan. De vloer is koud; ik had pantoffels mee moeten nemen. Het is bijna elf uur 's ochtends, maar nog niet erg licht buiten, het is egaal grijs, een vlak, nietszeggend licht. Gisteren ging de automatische buitenverlichting al om even na tweeën aan. Anders en Karin, van het huis aan de overkant van het veld, hebben kerstverlichting in een fruitboom gehangen; de opengespreide kruin is compleet in glinsterende lampjes gehuld. Je kunt die boom vanaf het balkon zien. Gabriel heeft me hem gisteren aangewezen toen we een rondje door het huis liepen en hij zei: 'Hier is het allemaal nog wel zo'n beetje hetzelfde.' Maar de slaapkamer op de bovenverdieping was groot en leeg, en de vloerplanken kraakten op een manier die ik me totaal niet kon herinneren van afgelopen zomer, en ik dacht: nee, hier is niets hetzelfde. En aan de overkant van het veld brandde de fruitboom.

Ik schenk mijn koffie in een van de wit-met-blauwe kopjes. Er staat een ongeopend pak melk in de koelkast en ik bedenk dat Gabriel dat vast voor mij gekocht heeft, omdat hij nog weet dat ik koffie met melk drink. Hij drinkt zijn koffie zwart. Ik blader de krant door die op de keukentafel ligt zonder ook maar één artikel te lezen. Ik heb het idee dat de letters van de koppen voor mijn ogen door elkaar krioelen. Misschien heb ik zoveel gehuild dat er iets mis is gegaan met mijn ogen, bedenk ik. Misschien heeft zich er eiwit uit mijn tranen aan gehecht, als klompjes die eraan vast zullen groeien en me uiteindelijk blind zullen maken. Dat moet ik afkloppen, tegen het massieve blad van de keukentafel. Ik knipper snel een paar keer met mijn ogen. Ik ben volkomen normaal. Er mankeert niets aan mijn ogen.

Ik ziet iets bewegen voor het keukenraam, een tak van een struik denk ik eerst; dan zie ik dat het Nils is. Ik zet het raam open en lok hem, en dan rent hij meteen naar de buitendeur, ik hoor hem miauwen. Wanneer ik hem binnenlaat, strijkt hij langs mijn benen. Hij is vochtig, heeft waterdruppels op zijn hele vacht; het lijkt wel of hij bestrooid is met diamanten. Ik scheur een stuk keukenrol af en haal dat voorzichtig over zijn rug. Hij kijkt me verbaasd aan.

Vervolgens gaat hij op de bank in de woonkamer liggen, waar het nog steeds warm is van mijn lichaam, en rolt zich ineen op de deken. Ik wil naast hem gaan liggen, me ook oprollen en onder de deken blijven liggen, maar ik moet beginnen met het sorteren van Stella's spullen; ik kan hier niet eindeloos lang blijven. Ik heb toestemming gekregen om in het volgende jaar te beginnen, ook al heb ik mijn scriptie nog niet af, ze hebben een uitzondering voor me gemaakt, bijzondere omstandigheden. Ik heb zitten huilen in de kamer van mijn studiebegeleider, ik heb overal zitten huilen. Ik mis nu colleges. Ik mag iets vaker wegblijven dan eigenlijk is toegestaan, maar ik heb moeten beloven dat ik zou studeren; dat is beter voor mezelf. Mijn achterstand mag niet te groot worden, want dan wordt het moeilijk die weer in te lopen. De boeken liggen onuitgepakt in de logeerkamer, ik zou vanavond moeten beginnen, ik krijg geen studiefinanciering meer als ik dit semester geen punten haal; dat is een akelige gedachte.

Als ik boven kom, zie ik de verlichte appelboom aan de overkant van de velden. Misschien zijn ze vergeten hem uit te doen, of het is zo donker buiten dat hij automatisch aangaat, ook al is het midden op de dag. De hemel is grafietgrijs, alsof er sneeuw in de lucht hangt, maar de temperatuur is boven nul en het enige wat er komt is regen. De grasmat voelde gisteren sponzig aan, drassig. Het wordt hier een moeras als het zo blijft regenen.

Stella's kleren hangen nog in de grote kast in de slaapkamer. Het is niet veel; ze bewaarde nooit iets wat ze niet gebruikte. Ik loop de inhoud van de kast snel door: spijkerbroeken, shirts, een paar winterjassen, schoenen, een paar jurken, mantelpakjes die ze altijd droeg als ze naar een vergadering in het gemeentehuis moest voor budgetbesprekingen, dingen waar ze zich eigenlijk niet mee bezig wilde houden. Gabriel heeft tegen me gezegd dat ik maar moet nemen wat ik wil hebben en de rest van de kleren in zakken moet stoppen, zodat hij die aan een goed doel kan geven, maar ik wil niets bewaren. Alles ruikt naar Stella, de hele kast is doordrenkt van haar koele parfum. Ik prop de kleren in de zakken, wil ervan af. Alleen haar witte angoravest stop ik er niet in. Dat kan ik niet over mijn hart verkrijgen. Er zit nauwelijks geur aan, misschien ruikt het vaag naar wasverzachter met appelgeur, en ook een beetje muf; ze had het waarschijnlijk al een poos niet meer gedragen. Ik raak met mijn vingertoppen het zachte wit voorzichtig aan. Het is zo'n lekker zacht en pluizig breisel, alsof je een huisdier aait. Voor de grote spiegel in de slaapkamer trek ik het shirt uit dat ik aanheb en doe het vest voorzichtig aan, het voelt plezierig aan op mijn huid; ik snap wel dat ze het graag droeg. Ik rek me uit, maak mijn haar los, dat in een wrong in mijn nek zit, en bekijk mezelf vanuit verschillende hoeken. We lijken wel een beetje op elkaar, bedenk ik. Niet zo dat je ons met elkaar zou kunnen verwarren, maar op manieren die moeilijker te beschrijven zijn, iets in de houding, de proporties.

Op het balkon staat Gabriels computer aan, net als altijd, omringd door stapels boeken en papieren, en de asbak met de dolfijn. Ik raak hem voorzichtig aan, strijk over zijn rug. Het koper voelt koel aan tegen mijn handpalm. Er ligt een kunstboek onder de asbak. *Une étude sur la peinture symboliste* staat er op de kaft, en er steken enkele centimeters van een geel Post-it-briefje tussen twee bladzijden uit. Ik sla het boek daar open en zie een schilderij van een jonge vrouw over bijna twee hele pagina's. Het lijkt op de omslag van Gabriels roman, maar op dit water drijven geen bloemen, er staan geen struiken en er is geen groen om haar heen. Ik ben slecht in Frans, maar deze titel kan ik zonder problemen begrijpen: *De verdronken vrouw*.

Ik sla het boek gauw dicht, draai me om en schrik er bijna

van als ik mezelf in de grote spiegel zie. Niet zo dat je je kunt vergissen, maar toch bijna, denk ik terwijl ik mijn hart snel en hard voel slaan en bijna moeite krijg met ademhalen wanneer ik aan de knoopsluiting van het vest frunnik. De knopen zijn klein en rond, van parelmoer, en ik krijg mijn vingers er niet goed omheen. Wanneer ik de twee bovenste knoopjes eindelijk los heb, trek ik bijna in paniek het vest over mijn hoofd en gooi het op de grond; daar ligt het als een gevelde prooi, onschadelijk gemaakt. Ik kruis mijn armen voor mijn borst om mijn lichaam niet in de spiegel te hoeven zien, blijf zo staan en probeer diep en rustig adem te halen, totdat mijn hart bedaard is en ik met trillende handen mijn eigen shirt weer aan kan trekken.

Het is nu stil in huis. Ik heb er een ander gevoel bij dan afgelopen zomer; de geluiden die ik hoor zijn nieuw. Getik en gekraak, en 's nachts de wind. De regen tikt tegen de vensterbank, roffelt hard en aanhoudend, een tak schraapt ergens langs, knarsend en bonkend, dof en monotoon. Ik rol me op onder het dekbed, duik zo diep mogelijk in elkaar. Het tocht overal, het huis zit vol kieren. Gabriel heeft gezegd dat het flink opgeknapt moet worden als je hier het hele jaar door wilt blijven wonen; het moet gedicht worden, opnieuw geïsoleerd. Toen hij dat van de zomer zei, dacht ik dat hij overdreef, dat het vast niet zo erg was, gewoon een extra deken 's nachts. Nu heb ik 's nachts een extra deken en zie ik in dat hij gelijk had.

Hij slaapt nu alleen boven, aan één kant van het grote tweepersoonsbed in de slaapkamer waarin de appelbomen in de tuin lange schaduwen tegen het plafond werpen. Telkens wanneer ik me hem daar voorstel en me afvraag of hij slaapt of wakker ligt, net als ik, zie ik mezelf naast hem in bed. Dicht tegen hem aan, net als op de bank, toen ik met mijn hoofd tegen zijn borst in slaap viel. En dan moet ik die gedachte meteen van me afschudden. Ik spoor niet, ik ben abnormaal, walgelijk; en daarna volgen al die andere gedachten als een film die snel in mijn hoofd wordt afgedraaid. Ze hebben haar uit het meer gehaald, ik heb me dat nu al honderd, nee duizend keer voorgesteld: ernstige gezichten op de rots bij het meer, politiemensen, Gabriel. Ik stel me voor dat er palingen in haar haar zaten; dat is een griezelig beeld en ik probeer het weg te duwen, maar het komt telkens weer terug: de palingen in het meer, om haar gezicht heen, tussen haar lokken op de bodem. Soms zie ik haar voor me met kronkelende en glibberige palingen in plaats van haar; ze stromen als dikke, gladde worsten van haar hoofd over haar schouders. Ik stel me telkens voor dat ze haar ogen dicht had, dat het leek alsof ze sliep. En dat het daarbeneden op de bodem ook leek alsof ze lag te slapen, terwijl de palingen een nest bouwden in haar haar. Ze was bang voor slangen; ze zou vreselijk geschrokken zijn als ze wakker was geworden en het had ontdekt.

Overdag maakt Gabriel tegenwoordig lange wandelingen. Ik zie hem over de nevelige velden heen: een zwart silhouet dat zich langzaam over de weg beweegt, stopt, naar iets kijkt of in gedachten verzinkt, lang op dezelfde plek in de berm blijft staan en een kraai volgt met zijn blik. Ik ben boven en ga verder met het sorteren van Stella's spullen. Ik heb de badkamerkastjes nagekeken. 'Pak maar wat je wilt hebben,' heeft Gabriel weer gezegd, maar ik heb bijna alles weggegooid. Alle dure crèmes en make-up, shampoo, zeepjes, badolie, ik heb nu bijna een hele zak vol. Ik heb de fles met Stella's parfum bewaard, omdat ik het niet over mijn hart kon verkrijgen die in de zak te stoppen, en twee doosjes nagellak van Dior die nog niet opengemaakt zijn, nog steeds in een beschermend plastic vlies verpakt. Die heeft ze waarschijnlijk taxfree gekocht toen ze een keer op reis was; ik kan me niet goed voorstellen dat ze zulke dure nagellak heeft gekocht in een gewone winkel. Ik zie voor me hoe ze bij de parfumstand op het vliegveld staat en bedenkt dat het nu vakantie is, misschien dé kans om haar nagels te laten groeien voordat ze weer in de aarde moet wroeten, en ze kiest bijna lukraak twee flesjes uit, bedenkt dat ze 's avonds op het balkon van haar hotelkamer zal zitten, een glas wijn zal drinken, de zon boven het water zal zien ondergaan en haar nagels zal lakken, die eindelijk boven haar vingertoppen uit komen als wassende halvemaantjes. Misschien toen ze naar Italië gingen; daar zijn ze vorig jaar zomer geweest, aan de Amalfikust ergens, in een stadje met een mooie naam; ik heb een ansichtkaart gekregen.

Stella heeft niet zoveel boeken en cd's. Daar bewaar ik er een paar van. Een paar albums van New Order, daar luisterde Erik vroeger naar; misschien zijn het zelfs wel zijn cd's. Stella nam altijd enthousiast de muzikale smaak van haar vriendjes over, ook al had ze zelf geen belangstelling voor muziek, of misschien wel juist daarom. Ze had bijna geen romans. In plaats daarvan kies ik een paar van haar plantenboeken uit, alle delen van de *Flora van Scandinavië* en *Brieven over botanica* van Rousseau. Ik weet dat ze daar dol op was. Ik stop ze in een doos samen met wat andere dingen die ik in haar kast vind: een schoenendoos vol foto's, een oud juwelenkistje waarvan ik weet dat ze het van onze oma heeft gekregen toen ze klein was. Er zitten een paar in de knoop geraakte kettinkjes in, geoxideerd zilver, gouden kettingen met hangertjes in de vorm van hartjes en klavertjesvieren, van die sieraden die je krijgt als je wordt gedoopt of geconfirmeerd. Ik stop de ene stapel tijdschriften na de andere in een doos; misschien wil iemand die nog hebben. Oude modebladen, interieurmagazines, tuintijdschriften, veel buitenlandse, met mooie, glimmende covers met Engelse tuinen. Op een stapel liggen oude catalogi: bladzijden vol zaden en vaste planten, heesters en fruitbomen. Ik stop ze bij de spullen uit de badkamer in de vuilniszak.

'Lukt het een beetje?'

Ik schrik van Gabriels stem. Hij staat in de deuropening. Hij heeft zijn schoenen en zijn jas aan, zijn haar ziet er vochtig uit.

'Het is een hele klus.'

'Zal ik je helpen?'

'Nee, dat hoeft niet. Maar toch bedankt.'

Hij glimlacht even naar me, knikt.

'Ik wilde boodschappen gaan doen. Ga je mee? Of kan ik iets voor je meenemen uit de winkel?'

Ik schud mijn hoofd.

'Ik wil hiermee klaar zien te komen. Maar misschien kun je wat fruit kopen? Satsuma's?'

Hij knikt weer.

'Weet jij nog waar Stella deze heeft gekocht?'

Ik houd hem de doosjes nagellak voor en hij trekt een peinzend gezicht.

'Die heb ik voor haar gekocht. Toen we naar Italië gingen. Maar ze heeft ze nooit gebruikt.'

'Misschien bewaar ik die wel.'

'Volgens mij heeft ze ook gezegd dat ze die aan jou wilde geven.'

Hij glimlacht even naar me voordat hij weer naar beneden verdwijnt.

Ik zie hem schuin het gazon oversteken naar de parkeerplaats. Hij gebruikt nu Stella's auto. Hij heeft de motor van zijn eigen auto nog steeds niet laten repareren; dat zou te duur worden. Die van haar is nieuwer, klein en zilverkleurig, en bijna geluidloos als je erin zit, alsof hij gevoerd is.

Er liggen nog meer tuintijdschriften op de plank van Stella's nachtkastje. Ik stop ze in de doos samen met de rest van de bladen. In het laatje van haar nachtkastje liggen nog dezelfde dingen als afgelopen zomer. Ik pak het lichtblauwe, glimmende boekje op en blader er verstrooid in. *Met M. afgesproken dat ze later van de zomer weer komt,* zie ik nog voor ik het snel weer dichtsla. Wat doe je met het dagboek van iemand die overleden is? Weggooien kan ik het niet. Al haar gedachten en aantekeningen, dat vind ik vreselijk. Ik laat het in het laatje liggen, dan moet Gabriel maar zien.

's Avonds lak ik mijn nagels. Ik heb de doosjes opengemaakt. Het ene flesje is parelmoerroze en ziet er zomers uit, het tweede is diep donkerrood, en dat kies ik. Gabriel is met een paar kilo satsuma's thuisgekomen uit de stad, de zure soort die ik het lekkerst vind, en ik ben de tel al kwijt van hoeveel ik ervan opheb: vijf, zes, misschien zeven. Mijn ene duimnagel is al geel gekleurd door de schillen. Hij ziet er net zo uit als onder water in het meer de afgelopen zomer, dat gele, smerige water. Ik breng resoluut de dure lak aan op mijn duimnagel en hij dekt perfect, het wordt glad en mooi. Ik zit op het bed in de logeerkamer. Ik heb Stella's witte vest aan een hangertje aan de buitenkant van een kastdeur gehaakt; het hangt daar als een klein kunstwerk, wit op wit met de parelmoeren knoopjes mat glanzend. Er staan nu geen bloemen op het nachtkastje of voor het raam, de kamer is koud, de muren wit en de vloer wit gelazuurd. Precies zo stel ik me een kloostercel voor. Er is een klooster in de buurt, daar zijn we van de zomer langs gereden; Gabriel wees het aan en vertelde dat het een van de strengste nonnenordes is. Als je eenmaal binnen de hoge stenen muren bent gekomen die de kloostertuin omgeven, kom je er nooit meer uit, zelfs niet als je dood bent. Je wordt op het kleine kerkhofje in een hoek van de tuin begraven.

De nagellak droogt snel, en wordt glad en hard. Ik had vroeger zachte, splijtende nagels, die brokkelig waren en braken. Nu groeien ze snel en zijn ze sterk, ik weet niet waarom. Misschien eet ik tegenwoordig beter. Ik trommel ermee op het nachtkastje en geniet van het roffelende geluid, terwijl ik om me heen kijk in de kamer. Er zou hier iets aan de muur moeten hangen: een foto, een schilderij, wat dan ook. Helemaal kale wanden hebben iets onplezierigs. Ik moet denken aan een schilderij van Rossetti, dat de Maria-Boodschap voorstelt. De wanden van het daarop afgebeelde vertrek zien er bijna hetzelfde uit als die van mijn kamer: wit, ook net als in een klooster. Maria zit ineengedoken op een hoek van het bed. Ze kijkt bang, heeft een afwerende houding. De engel geeft haar bloemen. Die zijn ook wit, lelies.

Rossetti ging op zijn oude dag buiten wonen. Misschien wel in net zo'n huis als dit, met een grote tuin en veel bloemen. Swinburne en hij woonden daar samen, zorgden voor elkaar, schaften dieren aan; exotische dieren, welke weet ik niet. Dat doet er ook niet toe, het is een mooi verhaal. Ik stel me voor dat ze een giraffe in de tuin hadden en dat het dier in de toppen van de Engelse appelbomen graasde.

Eigenlijk moet ik echt proberen mijn scriptie af te maken. Kunstwetenschappen studeren is niet meer zo leuk als in het begin, toen we lange colleges hadden in halfdonkere zalen, met urenlang dia's. Ik had het idee dat de rest van de wereld verdween terwijl ik leerde over Griekse bouworden, mozaïeken en fresco's, de archaïsche glimlach. Ik kan bijna op dezelfde manier verzinken in de herinnering eraan: de prettige stem van de docent en wat voor een ouderwets gevoel dat was, dat iemand me iets stond te vertellen over het oude Griekenland en dat ik er alleen maar naar hoefde te luisteren en het moest onthouden tot aan het tentamen. Ik had bij de meeste tentamens bijna alle vragen goed. Het is nu minder leuk, er komt zoveel theorie bij. Opeens is de gedachte aan het boek op Gabriels bureau er weer, het Post-it-briefje bij de bladzij met de verdronken vrouw. Misschien had hij die afbeelding op de omslag van zijn eerste boek willen hebben. Ik probeer me te herinneren of het boek daar afgelopen zomer ook lag, maar dat is onmogelijk, met al die grote stapels boeken en papieren over het hele bureau.

Opeens staat hij in de deuropening en ik schrik. Hij glimlacht naar me.

'Ik laat je kennelijk continu schrikken.'

Ik glimlach even.

'Je moet me niet zo besluipen.'

'Ik sluip niet.'

Zijn blik blijft hangen aan Stella's vest aan de deur van de kast. Hij loopt erheen, strijkt met zijn hand over het zachte angora.

'Ga je dat bewaren?' vraagt hij.

'Ik weet het niet, ik vond het alleen een raar idee om het in de zak te stoppen.'

Hij knikt.

'Je zou het moeten dragen.'

'Vind je?' vraag ik, aarzelend.

'Ja. Ik denk dat het je goed zou staan.'

Het is een onbehaaglijke gedachte na de paniek die ik voelde toen ik het paste, en zou het niet raar zijn, vraag ik me af. De kleren van een overledene, wat doe je met de kleren van overledenen? Stop je die al huilend in vuilniszakken om ze weg te geven, krijg je daar nooit spijt van? Kleren zijn zo persoonlijk.

Ik zeg er niets over, maar steek mijn handen naar Gabriel uit.

'Kijk.'

Hij knijpt zijn ogen een beetje dicht, lijkt eerst niet te begrijpen waar hij naar moet kijken, maar ziet dan het nagellakflesje op het bed, pakt mijn pols vast en bekijkt mijn vingers.

'Ja, mooi.'

Zijn greep is hard. Ik wil mijn hand terugtrekken, maar hij houdt hem vast en kijkt me in de ogen. Ik zou niet eens los kunnen komen als ik het echt probeerde, denk ik, en die gedachte windt me op. Ik moet mijn ogen neerslaan, anders ziet hij dat nog aan me.

Mijn wangen gloeien als hij mijn hand loslaat. Hij kucht.

'Ik wilde thee gaan zetten. Wil jij ook?'

'Ja, graag.'

'En een broodje?'

Ik knik.

Wanneer ik hem in de keuken de waterkoker hoor vullen, stroop ik de mouw van mijn shirt op en inspecteer mijn pols. Er is niets te zien, maar ik heb nog steeds het idee dat ik zijn greep kan voelen. Ik val achterover op het bed, ga op mijn rug liggen en doe mijn ogen dicht.

Die nacht droom ik van Stella. Ik sta in een park vol groene planten; geen bloemen maar alleen dicht, donker groen: enorme kastanjes, cipressen, populieren en zilverdennen, buxus geknipt tot hoge muren en klimop die zich over het grind slingert waar ik op sta; hij groeit zienderogen en strekt zich uit naar mijn voeten. Het is schemerig en alle schaduwen zijn lang, de lucht is guur en vochtig, het ruikt naar herfst, verrotting.

Opeens zie ik Stella's kist op een bankje iets verderop, ik loop er snel heen, gehaast, voordat de klimop mijn voeten bereikt, bij mijn enkels opkruipt en rond mijn dijen kronkelt; in mijn droom weet ik precies hoe dat voelt, hoe taai de stengels van de klimop zijn: lange, krachtige vezels, als touwen om mijn lichaam, alsof ik het eerder heb meegemaakt. Ik hoor Stella's stem in mijn hoofd: 'Die is giftig, alles eraan is giftig', maar klimop is toch niet giftig? In Zweden niet. Ik bedenk dat ik haar daarnaar moet vragen, en als ik het deksel van haar kist trek, glimlacht ze naar me. Heel even denk ik dat het allemaal een vergissing is, ik heb maar gedroomd dat ze dood is, maar als ik het haar vraag, geeft ze geen antwoord. 'Is hij giftig?' vraag ik een paar keer, terwijl ik de klimop dichterbij zie komen. Ze steekt een van haar handen naar me uit en haar nagels zijn nu lang, langer dan de mijne. Haar is niet het enige wat doorgroeit na de dood, nagels doen dat ook. Ik zie Stella en Gabriel voor me, hoe ze met haar lange nagels over zijn rug gaat en hij kreunt, haar polsen vastpakt en zich stevig tegen haar aan drukt. Haar haar is nu ook lang; hij zou het om zijn hand kunnen wikkelen, haar hoofd achterover kunnen trekken. De lokken komen over de rand van de kist heen, kronkelend als de klimop, als de zwarte wortels van de elzen in het meer, als uitlopers verlangend om wortel te schieten.

Ik heb in mijn slaap het dekbed van me afgeschopt en word rillend van de kou wakker. Gabriel zit aan de keukentafel koffie te drinken en de krant te lezen. Hij knikt naar me als ik de keuken in kom.

'Hoe is het?' mompelt hij.

'Ik heb niet zo goed geslapen.'

Ik kijk uit het raam terwijl ik koffie in een van de kopjes met het blauwe patroontje schenk die nog van Gabriels oma geweest zijn. Het is mooi oud Zweeds porselein, uit het begin van de twintigste eeuw. Gabriel heeft een compleet servies. Genoeg serviesgoed om voor achttien personen te dekken en een heleboel gangen te serveren. Hij gebruikt de etensborden en de kopjes dagelijks; de rest van het servies staat in een grote vitrinekast boven: stapels borden en schalen en een grote soepterrine.

Achter het raam is de tuin grijs en ziet er vochtig uit. Gabriel heeft een paar mezenbollen opgehangen in een kale sering en daar komen een heleboel vogeltjes op af. Het is nu net zulk weer als bij Stella's begrafenis, het is de hele herfst al dit weer. Gabriel leek toen ook afwezig en praatte met bijna niemand, zelfs niet met mij. Ik ook niet met hem, en daar schaamde ik me achteraf over, maar ik was bang voor zijn stem. Het was zo vreselijk die te horen: klein en dik, zoals hij ook aan de telefoon klonk die avond toen hij belde om te vertellen dat ze dood was. Hij belde mij als eerste.

'Ik denk dat ik een wandeling ga maken,' zeg ik.

'Mm-mm.'

Er blijven vochtige bladeren aan Stella's laarzen plakken wanneer ik door het gras loop. De koolmezen in de sering gaan er in een grote zwerm vandoor als ik dichterbij kom; ze zoeven door de lucht. Ik loop de weg op, langs de berm, tussen de velden door. Een ervan is niet geploegd zoals de rest, en staat vol hoog, vergeeld gras, dat vochtig en slap is geworden. Misschien heeft het braak gelegen. Ik stap over de greppel het veld op. Na een paar meter heb ik al het gevoel dat het landschap eindeloos is: alleen maar akkers voor me zover het oog reikt, een lappendeken, zacht ingebed in nevelige lucht. Ik sluit mijn ogen en richt mijn gezicht naar de hemel, voel hoe het snel bedekt raakt met een vochtig vlies.

Als ik de weg weer op wil stappen, zie ik dat er wilde rozen in de greppel groeien. Het is mooi, die felrode bottels tegen de vochtige zwarte takken, en ik wil er een paar meenemen, maar ze zijn te doornig. Ik prik me in mijn wijsvinger als ik een tak wil afbreken en er komt een helderrode druppel uit. Ik steek mijn vinger in mijn mond en proef vaag de puur metalen smaak van bloed, van ijzer, roest. Ik had een snoeimes mee moeten nemen; er hangt er een in de hal. Stella had er altijd een bij zich.

Ik draai me om als ik voetstappen op de weg achter me hoor. Het is Anders, met een hond aan de lijn, een slanke donkergrijze, een windhond of zo. Die glipt langs zijn benen, kijkt mij aandachtig aan en steekt zijn neus in de wind om te ruiken. Even verbeeld ik me dat hij de geur van mijn bloed kan ruiken, maar mijn vinger bloedt nu niet meer.

'Hallo,' zeg ik.

Anders knikt naar me. Ik stap uit de greppel en glijd bijna uit. Ik krijg geen houvast met mijn voet in het hoge, natte gras.

'Ben je een ommetje aan het maken?' vraagt hij.

'Ja.'

Ik buk om de hond te begroeten. Die ademt warm tegen mijn hand als ik die uitsteek, maar hij wil niet geaaid worden.

'Erg van je zus.'

Het klinkt vriendelijk en hij kijkt vriendelijk. Ik weet niet wat ik moet zeggen. Het lijkt bijna alsof hij er spijt van heeft dat hij iets heeft gezegd. Hij kijkt me bezorgd aan, alsof hij bang is dat ik zal gaan huilen.

Ik ga rechtop staan.

'Ik ben hier om haar spullen op te ruimen,' zeg ik.

'O, ja, dat zijn geen leuke dingen.'

'Nee, het valt me best zwaar.'

'Jullie mogen gerust eens langskomen, Gabriel en jij,' zegt Anders. 'Kunnen jullie niet eens koffie komen drinken?'

Ik knik.

'Ja, leuk... dat lijkt me gezellig.'

'Doe hem de groeten.'

'Dat zal ik doen. Wat een mooie boom, trouwens.'

Hij kijkt me vragend aan.

'De appelboom... met de kerstverlichting. Die kunnen we vanaf de bovenverdieping zien.'

'O, juist. Nou, dank je.'

Hij knikt even naar me, waarna hij wegloopt over de weg. De hond schiet langs zijn benen en blaft even naar een vogel in de rozenstruiken; hij heeft het kennelijk goed naar zijn zin.

Ik kan die avond de slaap niet vatten. Het waait weer. Het waait altijd in de herfst, zegt Gabriel; er is niets wat de wind over de velden tegenhoudt. Hij komt helemaal van zee, van de zee die ik alleen nog maar vanuit de verte heb gezien toen ik met Stella bij het kasteel was, glinsterend blauw tussen bomen en struiken door, met de geur van zout en wier. Ik zou naar zee willen gaan, daar ga ik in de herfst graag heen, om op het strand te staan en uit te kijken over het onmetelijke grijs, vlak bij het water op rubberlaarzen de golven over mijn voeten laten spoelen als het een rustige dag is en de golven klein zijn. Het is een bekende scène, maar toch weet ik niet zeker of het een herinnering is. Wanneer ben ik in de herfst aan zee geweest? Op het strand? Opeens herinner ik me een uitstapje naar kennissen van mijn ouders toen ik jonger was, misschien nog maar een jaar of negen, tien. Stella was er ook bij. Het was op een zaterdag en ze had de smoor in omdat ze mee moest; ze wilde liever de stad in met haar vriendinnen. Ik stelde me altijd voor hoe ze kleren pasten, met z'n drieën in een pashokje, grote stapels shirts en spijkerbroeken en rokken; hoe ze daar in het pashokje luid giechelden en er een eeuwigheid bleven zitten en vermoedelijk onuitstaanbaar waren, maar onuitstaanbaar op een manier zoals ik ook onuitstaanbaar had willen zijn, samen met hen. Het was herfst, misschien november zoals nu, en de kennissen van onze ouders woonden dicht bij zee, niet helemaal aan zee, maar zo dichtbij dat je die vanaf de bovenverdieping van hun oude houten huis kon zien. We zouden er 's middags elandbiefstuk eten, en Stella zag een kans om daar ook heibel over te schoppen, dat ze echt niet van plan was eland te eten. De vader van het gezin hield van jagen, en ik herinner me de frons in het voorhoofd van mijn moeder toen ze naar Stella keek en haar met die blik duidelijk maakte dat ze geen trammelant moest maken.

Na het eten gingen we naar zee, Stella en ik. Ze praatte lang en verontwaardigd over die eland, een arm onschuldig dier. Ze wilde dat ik haar gelijk gaf en dat zal ik ook wel gedaan hebben, hoewel ik de elandbiefstuk lekker vond. We kregen er zwartebessengelei bij; dat kregen we thuis nooit. Er waren rotsen, lage, grijze rotsen die langzaam afliepen in het water, en Stella liep vlak langs de waterkant, waar de rotsen zwart waren van de algen, en glad, alsof ze me wilde plagen, alsof ze me zover wilde krijgen dat ik tegen haar zou zeggen dat ze moest stoppen, dat ze niet zo dicht bij het water moest lopen, zodat ze ook boos kon worden op mij en tegen me kon snauwen dat ik haar moeder niet was. Dat was wel eerder voorgekomen, en dat hoefde voor mij niet nog eens, niet die middag. Ik wilde aan Stella's kant staan, dus ik zei niets, ook al was ik zo bang dat ze uit zou glijden en in het water zou vallen dat ik haar geen seconde uit het oog durfde te verliezen.

Ik word wakker en heb het koud, zoals elke ochtend, ook al ben ik met een extra deken over het dekbed gaan slapen. Ik sla de deken om me heen wanneer ik door de hal sluip naar de badkamer beneden. Ik douche lang. De spiegel van het badkamerkastje beslaat en ik trek een streep met mijn wijsvinger. Ik denk aan toen ik klein was en Stella en ik in de winter op de achterbank van de auto op onze ouders zaten te wachten, die even een boodschap deden of ergens heen moesten. De autoruiten besloegen aan de binnenkant en we tekenden bloemen en dieren en hartjes, en Stella schreef de namen op van de jongens op wie ze verliefd was. Voordat mijn vader het portier achter zich dichtdeed, zei hij altijd dat we moesten proberen geen adem te halen, en dan lachten we en probeerden het; we namen de tijd op hoe lang we onze adem in konden houden, Stella won altijd.

Het was een ongeluk, zei de politie. Waarschijnlijk wilde ze alleen maar aan het water voelen. Misschien gleed ze uit en stootte ze haar hoofd. Ze droeg een jurk, maar had blote voeten. Misschien wilde ze alleen maar pootjebaden in het ondiepe water waar de rotsen begonnen, op dezelfde plek waar we van de zomer waren gaan zwemmen. Je kon over de langzaam glooiende gladde rotsen een heel eind het water in lopen, totdat je tot je bovenbenen in het water stond. Daarna werd het opeens diep en moest je zwemmen. Werd ze verrast toen de rots opeens onder haar voeten verdween? Kwam ze met haar hoofd op de grote steen vlak onder het water terecht? Niet zo hard dat ze er een wond aan over had gehouden, maar hard genoeg om duizelig te worden, misschien even het bewustzijn te verliezen? Lang genoeg om onder water te zakken. Het wordt diep waar de rots ophoudt, het water is meteen koud. Het maakt niet uit hoe goed je je adem in kunt houden als je bewusteloos bent. De vraag of ze bij bewustzijn was toen ze stierf, komt de hele tijd terug. Of ze wakker is geworden van het koelere water verder in de diepte. Het moet daar donker zijn geweest, misschien zelfs moeilijk om te zien van welke kant het licht kwam, welke kant je op zou moeten zwemmen. Heeft ze geprobeerd te zwemmen? Al had ze bijna geen lucht meer? Kon ze nog iets denken?

Ik leg mijn vlakke hand tegen de badkamerspiegel en veeg mijn gezicht tevoorschijn in het waas. Ik denk aan wat Gabriel de afgelopen zomer op een van de eerste avonden zei: dat we niet zo erg op elkaar leken, Stella en ik. Uiterlijk misschien niet, denk ik. Maar we zwemmen allebei even belabberd.

Gabriel is naar de stad. Hij gaat met zijn accountant praten en daarna boodschappen doen. Hij klonk verbaasd toen ik gisteren zei dat ik niet mee wilde, maar het is fijn om het huis voor mezelf te hebben. Ik ontbijt in de woonkamer en kijk tv, drink koffie bij een mallotige talkshow; Gabriel kijkt bijna nooit tv. Daarna neem ik twee satsuma's en een kop koffie mee naar boven, ik loop voorzichtig om niet te morsen. Het is warm achter het bureau op het balkon, hoewel het laat in de herfst is. Het balkon is waarschijnlijk beter geïsoleerd dan mijn slaapkamer; het is goed gedicht, met kleine, dikbuikige radiatoren onder een paar van de ramen. Gabriel heeft ervoor gezorgd dat je daar het hele jaar door kunt werken, ook al heeft hij gezegd dat hij de computer altijd terugverhuist naar de slaapkamer wanneer het echt te koud wordt buiten; het wordt dan erg duur om het balkon warm te houden. Maar dit is een lange, zachte herfst. Overdag is het bijna tien graden buiten en 's nachts is er geen vorst, alleen een grijze lucht vol vocht.

Ik open mijn scriptie op Gabriels computer. Het zijn maar een paar pagina's. Ik scrol verstrooid door de tekst, vind hem slecht, een slecht onderwerp, het ziet er warrig en slordig uit en ik heb op de bonnefooi boeken geleend, ik weet geen klap van eerder onderzoek. Ik had oude tijdschriftartikelen op moeten duikelen – dat staat ambitieus – of gewoon wat beter naar boeken moeten zoeken, ik krijg zo nooit een voldoende. Mijn studiebegeleider is aardig, maar verstrooid, het heeft geen zin haar om advies te vragen; ze zegt alleen dat het allemaal goed klinkt. Misschien zou ik Gabriel om raad moeten vragen, maar ik ben bang dat ik hem stoor en ook dat ik hem teleurstel omdat ik niet harder heb gewerkt. Hij heeft een boek toegestuurd gekregen om te recenseren en hij is druk bezig woonruimte te zoeken, een flat die hij mag lenen of huren. Hij heeft al veel telefoontjes gepleegd en oude kennissen gebeld; ik hoop dat het ertoe zal leiden dat hij naar Stockholm verhuist, dat we in dezelfde stad komen te wonen.

Ik geeuw, neem een slok koffie uit het wit-met-blauwe kopje dat ik mee naar boven heb genomen, ik typ een zin, die ik meteen weer wis. Buiten is het grauw. Ik zie Nils langzaam over het gras lopen; hij gluurt naar de vogeltjes in de struiken.

Er wervelen bladeren om hem heen op, vochtig en donker. De wind is aangewakkerd, de ruiten van het balkon rammelen in de wind. De wind komt hier altijd uit dezelfde hoek: van zee. Dat zie je aan alle bomen; ze buigen licht landinwaarts, wijzen als kapotte kompasnaalden naar het oosten.

Het regent zachtjes wanneer ik de weg volg door de velden, weer met Stella's rubberlaarzen aan. Een paraplu zou hier op het platteland raar staan, koket, en aan mijn paraplu – een goedkoop, slap ding dat omklapt bij het kleinste zuchtje wind – zou ik toch weinig gehad hebben. In plaats daarvan heb ik over mijn eigen jas heen Stella's donkerblauwe regenjas aangetrokken, de capuchon opgezet en strak om mijn gezicht getrokken. Daarbinnen voel ik me van de wereld afgeschermd, ik kan nauwelijks opzij kijken, en alle geluiden worden gedempt, net als onder water.

Er staat een oude boom op het grindveld voor het huis van Anders en Karin, een kastanje, en ik móét er gewoon op mijn hurken onder gaan zitten om de zoete geur in te ademen en tussen de gevallen goudbruine bladeren, die nat en plakkerig zijn van de regen, te zoeken. De meeste vruchten verliezen hun glans al en zijn beschadigd, gehavend of gebarsten, maar ik vind een stekelige bol die nog intact is, met bruine vlekken maar ongedeerd, en ik breek de taaie bolster open totdat hij meegeeft en met volmaakte weerstand openglijdt en een glimmende, donkere kastanje laat zien te midden van de witte voering. Ik peuter hem los en steek hem in mijn zak, sluit mijn hand eromheen; hij is zacht en koud en bijna olieachtig tegen mijn handpalm, en voelt plezierig aan.

Anders doet vrijwel meteen open wanneer ik aanbel. Hij draagt een versleten spijkerbroek met verf- en olievlekken en een geruit overhemd. Hij kijkt vrolijk maar verbaasd.

'Nee maar,' zegt hij. 'Wie hebben we daar?'

'Ik kom...' begin ik, maar hij valt me in de rede, roept: 'Karin!' de hal in, kijkt me aan en knikt.

'Wat gezellig,' zegt hij. 'Kom verder.'

Er verschijnt een vrouw in de hal. Ze lijkt begin zestig. Zij draagt ook een spijkerbroek; ze ziet er jeugdig uit, met goed verzorgd, schouderlang haar zonder een spoortje grijs. Misschien verft ze het, maar ze lijkt me geen ijdel type. Misschien is ze een van die vrouwen met een natuurlijke schoonheid die ik altijd al heb benijd. Ik moet mijn haar donkerder verven zodat het niet onopvallend muiskleurig is, ik moet mijn wenkbrauwen en wimpers elke dag aanzetten om niet het gevoel te krijgen dat ik langzaam verdwijn. Misschien besteedt ze niet eens aandacht aan haar haar, dat hoor je wel vaker.

'Wat zie jij eruit,' zegt ze tegen Anders met een knikje naar zijn broek. Hij lacht gegeneerd.

'Ik wist niet dat er bezoek zou komen.'

'En dit is de buurvrouw, begrijp ik,' zegt ze, en ze glimlacht naar me, schudt energiek mijn uitgestoken hand, en ik wil nog eens zeggen dat ik hier ben omdat Anders me heeft uitgenodigd toen ik hem op straat tegenkwam, uitleggen waarom ik bij hen aanbel, maar ze lijkt niet te luisteren en blijkbaar vindt ze het niet raar dat ik daar ben. Ze neemt mijn regenjas aan en hangt die aan een hangertje boven de badkuip, zegt dat het een rare herfst is, zoveel regen en zo zacht.

'Waar heb je de dichter gelaten?' vraagt Anders.

Ik glimlach.

'Die zit thuis te werken. Hij moet op het moment nogal veel schrijven.'

'Aan zijn nieuwe boek?'

'Nee, dat is af. Nu gaat het om een recensie.'

'O, dat doet hij dus ook.'

'Ik ga koffiezetten,' zegt Karin.

We zitten in een woonkamer op de begane grond koffie te drinken. Het is een klein vertrek stampvol spullen: tafeltjes met lampjes en siervoorwerpen, grote vazen met droogbloemen op de grond, de muren behangen met borden, schilderijen en foto's, en overal gehaakte kleedjes. Het ziet er ouderwetser uit dan Anders en Karin, en ik vraag me af of ze hun huis ook hebben geërfd, met gehaakte kleedjes en al.

Ze praten vooral over het weer, de omgeving en de hond; Sture heet hij, wordt me verteld, naar een hond in een kinderboek. Hij ligt in een hoek van de bank bij een paar kussens. Hij maakt een slome indruk en reageert nauwelijks wanneer ik hem met een aai over zijn kop begroet. Ik weet nooit goed hoe ik met honden om moet gaan.

Anders en Karin hebben twee kinderen, een zoon en een dochter. Hun foto's hangen aan de muur, van toen ze gedoopt werden en geconfirmeerd, bij hun diploma-uitreiking en hun trouwen. Ze wonen nu allebei in Stockholm, vertelt Karin, maar met kerst en Pasen komen ze logeren, en soms een paar weken in de zomer, met man en vrouw en kind en hond.

'Ja, dan is het hier een drukte van belang,' zegt Anders met een vrolijk gezicht. Ik glimlach en bedenk dat ik vaker bij mijn ouders op bezoek moet gaan.

'Ze zijn hier afgelopen zomer ook geweest,' zegt Karin. 'Maar toen was jij hier waarschijnlijk niet. Ze komen meestal begin juli.'

'Nee, ik kwam pas later,' mompel ik.

'Ja, dat was natuurlijk nog voor...' begint Karin. Ze maakt haar zin niet af, maar toch hoor ik het vervolg in mijn hoofd: 'voordat Stella stierf', 'voordat je zus verdronk,' 'voor die gebeurtenis'. Het is een vast punt in hun tijdrekening geworden. Er gebeurt hier niet veel, natuurlijk wordt zoiets belangrijk, iets wat iedereen weet en waar iedereen over praat, het heeft in de krant gestaan, het is voorpaginanieuws geweest.

'Hoe gaat het met hem?' vraagt Anders.

'Met Gabriel? Wel goed.'

Anders en Karin kijken allebei bezorgd.

'Dus je kunt daar goed logeren?' vraagt Karin.

Ik begrijp niet wat ze bedoelt, maar mompel een 'ja', en zij en Anders knikken allebei even, opgelucht, en opeens besef ik dat ze zich geen zorgen maken over Gabriel, maar over mij, omdat ik daar bij hem logeer. Wat denken ze eigenlijk van hem, vraag ik me af, waarna het tot me doordringt dat ze misschien niet zomaar iets denken, maar iets weten. Opeens word ik misselijk, ik vind de koffie zuur smaken. Ik wil iets vragen, maar weet niet hoe ik het moet formuleren. Karin knikt naar me dat ik nog een koekje moet nemen. Er liggen verschillende soorten op de schaal, zelfgebakken: met frambozenjam, met suikerkorrels en amandelsnippers. Ik gehoorzaam en eet het koekje werktuiglijk op, terwijl Anders een verhaal begint over iemand in de buurt wiens kelder waterschade heeft geleden door de regen. Ik kijk uit het raam, het wordt al schemerig.

'Het ziet ernaar uit dat het Stockholm wordt,' zegt Gabriel wanneer we 's avonds in de woonkamer zitten. Dat is een gewoonte geworden, net als de avonden op het terras de afgelopen zomer. Gabriel heeft glühwein warm gemaakt, voor het eerst dit jaar. Hij lijkt enthousiast, hij heeft zelfs schaaltjes met rozijnen en gepelde amandelen neergezet. De kat ligt te slapen in de oude oorfauteuil. Gabriel heeft een vuurtje gemaakt in de tegelkachel en we zitten dicht naast elkaar op de bank.

'Ik ben bezig met een appartement in Zuid. Het lijkt erop dat ik dat in elk geval een jaar kan huren.'

Hij kijkt me aan en glimlacht wanneer hij ziet hoe blij ik daarom ben.

'Echt?' vraag ik. Hij lacht.

'Ja, echt. Vanaf half december, dus ik moet binnenkort gaan inpakken en dingen regelen voor de verhuizing.'

Ik leun met mijn hoofd tegen zijn schouder. Een groot gevoel van opluchting verspreidt zich door mijn hele lichaam. Ik doe mijn ogen dicht, zie voor me hoe ik bij hem op bezoek ga, in een appartement in Stockholm. Ik vraag me af wat hij mee zal nemen, of hij boeken meeneemt, en zo ja welke, of de flat gemeubileerd is of dat hij meubels mee moet nemen. Dan kiest hij vast de grote oude stoel uit de woonkamer, waarin hij altijd zit te lezen. En de schemerlamp die ernaast staat; die is uit de jaren dertig en heeft drie kapjes van een mooie lichtroze zijden stof, net bloemen, linnaeusklokjes.

'Ik ben bij Anders en Karin geweest,' zeg ik tegen Gabriel.

Hij knikt.

'Ja, dat zijn aardige mensen. Al gaan we niet veel met hen om.'

Hij zwijgt weer.

'Gingen... We gingen niet veel met hen om.'

Hij steunt met zijn voorhoofd op zijn hand en ziet er moedeloos uit.

'Had je mee gewild?' vraag ik.

'Nee, ik had hier thuis zoveel te doen.'

Hij knikt naar het boek dat open op tafel ligt: een nieuwe Zweedse vertaling van gedichten van Rimbaud. Hij lijkt erdoor opgeslokt; hij had het er tijdens het eten ook al over. Hij heeft een hele poos niets voor de krant geschreven, ook al zijn het gouden tijden geweest voor het boekenvak. Stella's gezeur dat hij zijn best moest doen om meer te schrijven was waarschijnlijk niet uit de lucht gegrepen.

Hij pakt het boek op.

'Dit is echt ongelooflijk goed. Ken je Rimbaud?'

'Nee, dat geloof ik niet.'

'Dan moet je echt eens iets van hem lezen.'

Hij kucht, begint te lezen, zacht maar met vaste stem:

'Op 't stille, donkere water waar de sterren dromen
deint wit Ophelia als een grote lelie voort,
deint langzaam in haar lange wade meegenomen...
ginds in de bossen wordt een ver geschal gehoord.'

Hij leest verder, lijkt bijna gehypnotiseerd. Ik zet mijn kopje glühwein op tafel neer, ik voel me nu heel ongemakkelijk. Gabriel kijkt me aan.

'Mooi toch?'

'Nee.'

'Het is zo'n prachtig thema: de schoonheid in de dood,' zegt hij zacht. 'En de waanzin, dat ze meer wil hebben dan er in deze wereld is, dat het leven te armzalig is voor haar... en daarom moet ze ten onder gaan.'

'Er is niets moois aan de dood.'

Hij luistert niet.

'En dat beeld van haar als ze verdronken is, als een lelie op het water in haar lichte jurk, als een waterlelie.'

Ik sta op van de bank.

'Waar ga je heen?' vraagt hij.

'Je bent niet goed snik,' mompel ik.

Hij kijkt verbaasd.

'Gaan we het er nooit over hebben?' vraag ik. 'Gaan we het er nooit over hebben wat wij haar hebben aangedaan en dat ze nu dood is? Blijven we doen alsof het niet is gebeurd?'

'Maar...' begint hij.

'Ik begrijp niet hoe je dit kunt lezen en net kunt doen alsof er niets gebeurd is.'

'Ik doe niet net alsof er niets gebeurd is,' zegt Gabriel zacht.

'Hoe kun je dan beweren dat het mooi is?' vraag ik. 'Omdat je het eigenlijk wel best vindt? Dat ze hier niet is om je aan je hoofd te zeuren, zodat je nergens verantwoordelijkheid voor hoeft te nemen en gedichten kunt lezen en kunstenaar kunt zijn?'

'Hou je gemak.'

Zijn stem is nu scherper.

'Kwam het door jou dat ze die plek op haar been heeft gemaakt?' vraag ik.

Die vraag duikt zomaar opeens in mijn hoofd op, maar zodra ik hem heb gesteld begrijp ik dat het de goede vraag is. Ik zie het aan zijn blik, die heel even verbaasd is. Ik begrijp dat dit iets is waarvan hij nooit had kunnen denken dat ik het zou vragen.

'Wat bedoel je?'

'Precies wat ik zeg. Ze had een plek aan de binnenkant van haar bovenbeen; ze zei dat ze zich met een sigaret had gebrand. Heb jij haar daartoe aangezet?'

Ik heb me de hele herfst al schuldig gevoeld over de plek op Stella's been, ik heb er niets over gezegd tijdens het politieonderzoek. Ik heb haast helemaal niets gezegd, ze hadden me weinig te vragen, ik was er niet eens toen het gebeurde. Het had hun bovendien bij een lijkschouwing moeten opvallen; toen ze alleen maar naar haar keken hadden ze het al moeten zien – en misschien hebben ze het ook wel gezien, maar er niets over gezegd tegen mijn ouders, omdat ze discreet wilden zijn; of ze hebben het wel tegen hen gezegd, waarna zij op hun beurt mij niet ongerust wilden maken. Ik kan de bezorgde stem van mijn moeder in gedachten al horen wanneer het telefoontje van de politie komt en iemand haar formeel vraagt of Stella aan zelfbeschadiging deed. Misschien was het een uit de hand gelopen experiment – ik stel me haar voor met een gloeiende sigaret die ze zo lang mogelijk tegen de binnenkant van haar bovenbeen houdt; een bepaald aantal seconden, heeft ze zich voorgenomen, misschien vergelijkbaar met toen ze naar het meer ging. Misschien had ze bedacht dat ze wilde testen hoe lang ze haar adem kon inhouden, net als in onze kindertijd achter in de auto op die winterse dagen. Ze probeerde haar adem weer net zo lang in te houden, zo lang mogelijk onder te blijven, en dan nog iets langer, nog tien seconden erbij. Ik zie haar voor me met een bleek, haast blauw gezicht, ze krijgt geen lucht en ze geniet ervan, nog even, denkt ze, ze wordt duizelig, nog heel even, en dan wordt alles zwart.

'Heeft ze het zelf gedaan?' vraag ik, omdat Gabriel niets zegt.

'Dat weet ik niet.'

'Heb je dat dan niet gevraagd?'

'Nee. Ik weet eigenlijk niet waar je het over hebt. Ik vind je wat verward overkomen, misschien kun je beter gaan slapen.'

Ik kijk hem recht in de ogen en hij wendt zijn blik niet af. Ik herken hem gewoon niet meer. Ik wil niet met hem in één kamer blijven. Hij liegt, realiseer ik me; om de een of andere reden liegt hij. Ik laat hem alleen in de woonkamer met de glühwein en als ik in mijn kamer ben, doe ik snel de deur achter me dicht.

Gabriel wordt tegenwoordig 's ochtends vroeg wakker en zet dan een grote pot koffie, die hij in een thermoskan giet die op het aanrecht staat. De koffie is nog steeds dampend heet wanneer ik rond negen uur wakker word en voor het keukenraam naar de vochtig naherfstgrijze tuin sta te kijken, naar een ekster in de ruige zwarte takken van de berk, en de vogeltjes bij de mezenbol in de sering. Al zolang ik hier ben is het elke dag dit weer. Alle dagen zijn even traag en grijs. Ze vloeien slaperig in elkaar over, precies eender, nevelig en zacht, alsof ze gewatteerd zijn. Gabriel zit te schrijven, het is stil in huis. Ik zit een hele poos aan de keukentafel te lezen: het ochtendblad, en een stukje in een boek voor mijn scriptie, telkens weer dezelfde regels. Gabriel duikt met regelmatige tussenpozen op in de keuken om nog een kopje koffie te halen, knikt goeiemorgen naar me, vraagt of ik Nils wil binnenlaten.

'Hoe gaat het?' vraag ik.

'Ja, goed,' zegt hij afwezig; dat zegt hij telkens wanneer ik het vraag. Hij is nu aan nieuwe teksten begonnen. Misschien wordt het een verhalenbundel. Het schijnt hem volledig in beslag te nemen. Hij rommelt in de kast en vindt een paar speculaasjes in een pak, neemt een stapeltje mee en verdwijnt naar boven.

Ik loop een rondje over de benedenverdieping, voel me rusteloos. Er zijn nog steeds een paar spullen van Stella die ik door moet kijken: dozen met studiemateriaal, oude opstellen en readers, dozen met serviesgoed en keukengerei die ze mee hiernaartoe heeft verhuisd, maar niet eens heeft uitgepakt. Ik weet niet waar ik met al die spullen heen moet. Ik stel het uit, ik kan nu niet nog meer weggooien. Dat voelt niet goed, alsof ik haar wegdoe, al haar sporen uitvaag.

Het is donker in de woonkamer. Ik knip de grote kristallen kroonluchter aan het plafond aan. Eigenlijk is hij te groot voor deze kamer, die niet zo'n hoog plafond heeft. Het licht ervan is zacht en aangenaam; het flatteert. In een hoek naast een boekenkast staat een rij oude schoolplaten met botanische motieven die Stella vorige zomer op een veiling heeft gekocht. Het stof dwarrelt door de lucht wanneer ik erdoorheen blader: aardappel, vossenbes, akkerdistel, een gracieuze geelster met elegante bladeren, Stella hield veel van bolbloemen. Helemaal achteraan staat een plaat van het handekenskruid; dat is een roze orchidee. Opeens schieten Stella's orchideeën in de broeikas op haar werk me te binnen. Ik heb Gabriel er niet over gehoord of daar nu iemand voor zorgt, en als ik er nog eens over nadenk, dringt het tot me door dat Stella het er waarschijnlijk afgelopen zomer nooit over heeft gehad waar hij bij was, ook al praatte ze er graag over. Weet hij wel van hun bestaan af? Hij leek vaak maar met een half oor te luisteren als ze het over haar planten had. Het leek alsof hij het leuk vond dat het haar interesseerde, zonder dat hijzelf ook maar in het minst geïnteresseerd was, zeker niet in haar gepraat over alle praktische dingen, over voeding, bemesting, snoeien en grondsoorten. Misschien vertelde ze hem over de orchideeën en knikte hij terwijl hij aan iets anders dacht: aan zijn roman, aan zichzelf.

Vlak voor de lunch gaat er een bus naar de stad, dezelfde bus die ik afgelopen zomer heb genomen toen ik met Stella had afgesproken. Als ik snel ben haal ik die nog. Ik maak me gauw op en voor het eerst sinds lange tijd trek ik in de hal mijn eigen laarzen aan. Het voelt onwennig op hakken nadat ik zo lang op Stella's platte rubberlaarzen heb gelopen. Ik gluur naar mijn benen in de spiegel, vind dat ze er goed uitzien.

'Ik ben even weg,' roep ik de trap op naar Gabriel. Hij antwoordt met een afwezig 'oké'. Waarschijnlijk heeft hij niet eens gehoord wat ik zei en vraagt hij zich straks, als hij beneden koffie gaat halen, af waar ik gebleven ben, maar ik heb nu geen tijd om een briefje voor hem te schrijven, dan mis ik de bus. Ik steek schuin het erf over en loop op een drafje over de weg. Het waait vandaag niet zo hard en ik heb zelfs iets aan mijn paraplu in de fijne regen die in de lucht hangt, stilstaat bijna, als een ongebruikelijk natte nevel. Wanneer ik mijn discman aanzet, slipt die aan het begin van het nummer waar ik naar wil luisteren. Na een paar seconden springt hij terug naar het begin of naar een heel ander nummer. Ik zet hem een paar keer uit en weer aan, maar dat haalt niets uit. Misschien ligt het aan het vocht, dat het steeds zo nat is in de lucht. Ik zie voor me hoe alles in mijn discman groen uitslaat: koperdraadjes en pennetjes, alles krijgt een stroeve groene laag. Ik bedenk dat er iets van zoutkristallen in groeien, die alle draadjes pluizig maken. Zodra ik in de vochtige lucht kom, begint het; het groeit, vermenigvuldigt zich, maakt kortsluiting.

Ik ben op tijd bij de bushalte. Als de bus komt is hij bijna leeg, net als van de zomer. Hij neemt weer dezelfde omslachtige kronkelweg als toen, langs boerderijen waar niemand uit- of instapt en waar geen mens te zien is, alleen een kat bij een brievenbus, zwart tegen het vochtige gras, en een grote groep kauwen als silhouetten tegen de egaal lichtgrijze lucht.

Als ik eenmaal in de stad ben aangekomen kan ik het eerst niet vinden. Hoewel het centrum klein is, loop ik twee keer fout. Uiteindelijk moet ik aan een man die schuin het raadhuisplein oversteekt vragen waar de broeikassen eigenlijk staan. Hij weet het precies, wijst en legt het uit. De stad is leeg, voelt bijna verlaten aan, en wanneer ik de weg naar de broeikassen heb gevonden en de kruk van het hek dat ze omgeeft naar beneden duw, ontdek ik dat het op slot zit. De cipressen naast de palen zijn donker van het vocht; ze staan er stil en ernstig bij.

Ik sta daar nog maar een paar minuten wanneer er een man met een bakbrommertje achter me stopt. De laadbak ligt vol met bladeren en takken; de man draagt een knaloranje overall.

'Wacht je op iemand?' vraagt hij.

'Ja, op iemand die het hek kan opendoen,' zeg ik, en hij trekt zijn wenkbrauwen op en lijkt zich af te vragen wie ik ben. Ik besef dat ik waarschijnlijk onbeleefd klonk.

'Mijn zus heeft hier gewerkt,' zeg ik. 'Stella.'

Dan wordt zijn gezicht meteen zachter.

'We missen haar, dat kan ik je wel zeggen,' zegt hij terwijl hij een sleutelbos uit een van de zakken van de overall opvist.

'Mm-mm.'

'Ja, niet zoals jij, natuurlijk,' voegt hij er snel aan toe.

Ik loop achter hem aan over het grindpad, de broeikas in. Het is warm binnen, dat is nog duidelijker dan afgelopen zomer, maar nu is de luchtvochtigheid buiten bijna even hoog als in de broeikassen. De man in de oranje overall wenkt een vrouw in een groot herenoverhemd, dezelfde kledij die Stella altijd droeg als ze in de kas werkte. Ze heeft blond haar en een knoetje in haar nek.

'Dit is Stella's zus,' zegt de man in de overall, en de blonde vrouw stelt zich voor als Linda. Zij zegt ook dat ze Stella missen, gecondoleerd, wat een tragedie. Ik slik iets weg en knik.

'Kom je haar spullen halen?'

Ik schud mijn hoofd.

'Nee... Nee, daar kom ik nu niet voor. Ik wilde eens horen hoe het met de orchideeën gaat.'

Ik besef dat dat vreemd klinkt, verward waarschijnlijk, maar Linda lacht me vriendelijk toe en zegt dat ik maar mee moet lopen naar de hoek van de kas waar de orchideeënkwekerij zit.

Sommige ervan bloeien nog steeds, ze zien er net zo uit als van de zomer, dezelfde onwerkelijke, bijna wasachtige perfectie. Ik zet mijn handpalm op het vochtige mos, dat voelt plezierig. De lucht is zoet en heeft een poederige geur, die me meteen herinnert aan die middag afgelopen zomer, toen ik me zo aan Stella ergerde omdat ze beweerde dat ik te laat was toen we naar huis zouden gaan. Waar maakte ik me druk om? Ik voel me stom nu ik er weer aan denk.

'We hebben er goed voor gezorgd,' zegt Linda. 'Je hoeft je geen zorgen te maken.'

Ik knik.

'Ze was er zo dol op,' zeg ik, en daarna breekt mijn stem en moet ik bijna huilen.

Linda legt haar hand op mijn arm en zegt dat ik op een bankje moet gaan zitten dat tegen de muur staat, en ik gehoorzaam. Ik zit daar te kijken hoe Linda een plantenschepje en een bloempot pakt, een stukje van het mosdek rond een van de bloeiende orchideeën optilt en het schepje in de aarde eronder steekt. Ze is een hele poos bezig, maakt voorzichtig wortels los, prutst en peutert totdat de roze bloem en al haar kronkelende wortels los zijn. Dan doet ze aarde in de pot, zet de plant er voorzichtig in en zorgt ervoor dat die stevig staat. Wanneer ze de aarde heeft bevochtigd en er een stuk fluwelig glimmend mos over heeft uitgespreid, geeft ze hem aan mij.

'Hier.'

'Dankjewel,' zeg ik zacht. Nu doet mijn stem het weer.

De orchidee in de pot lijkt me aan te gapen; de bloeiende kop lijkt te zwaar voor de dunne steel. Ik heb orchideeën nooit echt mooi gevonden, ik vind ze er bijna smerig uitzien, zo overduidelijk organisch.

'Zijn het parasieten?' vraag ik.

Linda glimlacht.

'Nee. Het zijn epifyten, dat is iets anders. Ze groeien in bomen, maar ze zuigen er geen voedsel uit. Ze gebruiken ze alleen om omhoog te klimmen en in het licht te komen.'

Ik knik.

'Het kan enorm donker zijn op de grond in het regenwoud,' voegt ze eraan toe. 'Met al die bomen en bladeren hebben bloemen het niet zo gemakkelijk. Wil je iets drinken?'

'Ja, graag.'

Ik loop achter haar aan door de kas. We lopen tussen rijen hyacinten en amaryllissen door naar de andere kant, langs het kleine bassin met het murmelende water waarin de twee karpers langzaam rondglijden als twee zwarte schaduwen, door een deur die naar een rommelig kantoor leidt. Daar staan een tafel en een paar stoelen in een hoek, en met een knikje beduidt ze dat ik moet gaan zitten. Ik houd de bloempot nog steeds in mijn handen; hij is koel en zacht. Linda rammelt met serviesgoed in een kleine kookhoek; ik zie haar door een zwaaiend gordijn van kleurige plastic kralen, dat ratelt door haar bewegingen. Ik zet de pot met de orchidee op tafel neer. Ik ruik koffie. Linda zet een gele mok voor me neer.

'Melk, suiker?'

'Nee, het is goed zo... dankjewel.'

Ze gaat tegenover me zitten en neemt een slok koffie uit net zo'n mok.

'Hoe gaat het?' vraagt ze.

Het lijkt alsof ze de vraag serieus bedoelt, in tegenstelling tot Gabriel, die het continu vraagt, zonder zich iets van mijn antwoord aan te trekken. Al doe ik dat zelf ook, realiseer ik me, ik laat hem telkens weer wegkomen met zijn 'ja, goed'.

'Er schiet me iets te binnen over bloempotten,' zeg ik. 'Stella had het er van de zomer over. Ze had ze in de een of andere bergplaats gevonden. Oude potten die eruitzagen als bladeren... in plaats van die witte plastic potten.'

Linda knikt.

'Dat heb ik al geregeld,' zegt ze. 'Ze komen op de promenade en op de brug te staan. We zetten ze met Pasen buiten, dat zal een mooi gezicht zijn. Heb je ze gezien?'

Ik schud mijn hoofd.

'Kom dan maar eens mee.'

Gabriel duikt op in de hal zodra ik de deur door kom.

'Waar ben je geweest?'

'In de stad.'

Ik zet de pot met de orchidee op het kastje in de hal neer en ga op de keukenstoel ernaast zitten om mijn laarzen uit te trekken.

'Je bent een eeuwigheid weg geweest.'

Hij klinkt verontwaardigd, en zo ziet hij er ook uit.

'Ik heb toch gezegd dat ik wegging?'

'Ik had geen idee wanneer je thuis zou komen. Ik ben met het eten bezig. Het is immers vrijdag.'

Zijn woorden klinken zo alledaags dat ik bedenk dat het zo moet hebben geklonken wanneer hij met Stella praatte, dat dit misschien een discussie is die hij eerder heeft gevoerd, maar dan met haar. Alsof ik alleen maar in die rol hoef te stappen. Ze heeft me verteld dat ze op vrijdagavond altijd iets lekkers aten en dat hij dan kookte. Ze zei altijd dat ze zo bofte met een man die kon koken.

'Sorry,' zeg ik. 'Moet ik helpen?'

Zijn blik wordt meteen zachter, bijna teder.

'Als je me gezelschap houdt, is dat al genoeg.'

Ik loop achter hem aan de keuken in. Het ruikt lekker en ik voel dat ik trek heb. Hij heeft kaarsen aangestoken op tafel en voor de ramen, en in de woonkamer hoor ik het hout knappen in de tegelkachel. Hij schenkt een glas wijn voor me in.

'Nou, proost,' zegt hij en hij overhandigt me het glas.

'Waarop?'

Hij glimlacht.

'Weet ik veel. Op jou?'

'Op mij?'

Hij haalt zijn schouders op.

'Of op mij?'

'Op je boek?'

'Nee, dat is te saai. Proef de wijn nu maar.'

Ik lach en doe wat hij zegt. Het is lekkere wijn, zacht van smaak en perfect op temperatuur. Hij heeft de fles naast het fornuis staan, waar het warm is van de oven. Ik ga aan de keukentafel zitten en kijk toe terwijl hij de laatste hand aan de maaltijd legt. Hij ziet er zelfverzekerd uit bij alles wat hij doet, tot in het kleinste gebaar.

Vooraf krijgen we paddenstoelensoep gemaakt van trechtercantharellen. Hij vertelt dat Stella en hij die vorig jaar herfst hebben geplukt, dat ze een fantastische paddenstoelenplek hadden gevonden waar ze zakkenvol konden plukken. Ik stel me voor hoe ze na het plukken alle paddenstoelen op het terras hebben zitten schoonmaken, nadat ze eerst kranten over de tafel hadden uitgespreid, en daar alle cantharellen op hadden uitgeschud, een hele berg van geel en bruin, en vervolgens waren begonnen met schoonmaken, naalden, blaadjes van de rode bosbes en andere bladeren hadden verwijderd, de cantharellen netjes schoon waren gaan borstelen, terwijl kleine insecten en spinnen die op de krant waren gevallen in verwarring wegkropen over de tafel. Het was waarschijnlijk een van die zonnige, heldere herfstdagen geweest, zo'n volmaakte middag in oktober, met zon, een heldere lucht en bomen in fraaie kleuren.

Het hoofdgerecht is een stoofpot van eland en spek, met donkere jus. Gabriel serveert hem met een aardappelgratin die hij in vierkanten heeft gesneden en een salade van mooie blaadjes met rode nerven, een dressing erover gekringeld, ook donker. Het ziet eruit als in een restaurant.

'Wat mooi.'

Gabriel glimlacht en schenkt nog wat wijn in mijn glas.

'Je moet het proeven, dit vlees... Ik heb het van Anders gekocht, die jaagt... Het smaakt altijd geweldig.'

Het vlees is mals. Het heeft vast een hele poos staan pruttelen en de donkere, smakelijke saus opgezogen. De wijn past er perfect bij.

'Echt vet lekker.'

Gabriel lacht en doet me na. Hij plaagt me graag, vindt het grappig dat ik dingen 'vet' noem, hij zegt dat het klinkt alsof ik veertien ben. Hij schenkt me nog eens in, hij heeft een nieuwe fles aangebroken. Ik voel me nu rustig, aangenaam ontspannen en wat soezerig van de wijn. Het regent buiten, druppels op de vensterbank. Het is warm in de keuken en in de woonkamer, waar we daarna op de bank nog meer wijn zitten te drinken. Het vuur knappert in de tegelkachel, Gabriel heeft de buitenste koperen luiken opengezet, en de dunne zwarte luiken daarachter, totdat alleen de binnenste nog overblijven, de roetig zwarte met een gatenpatroon waar je de gloed doorheen kunt zien als warme oranje puntjes. Ik hoor het zachtjes tikken.

We zitten dicht bij elkaar, zo dicht dat ik met mijn hoofd op zijn schouder kan leunen. Hij draagt een overhemd en een lamswollen trui. Hij weet dat ik hem daar graag in zie. Ik kan zijn geur vaag ruiken en bedenk dat vanille voor mij de vertrouwdste geur is. Als iets van toen ik klein was.

Hij strijkt over mijn haar, eerst wat gedachteloos. Dan vraagt hij of ik mijn haar, dat ik in een losse wrong in mijn nek bij elkaar heb gebonden, los wil maken.

'Waarom?'

'Los haar staat je zo mooi.'

Ik maak het elastiekje los dat de wrong bij elkaar houdt en mijn haar valt over mijn schouders. Hij steekt zijn hand uit en legt het goed, schikt het aan beide kanten van mijn gezicht en bekijkt me ernstig.

'Je bent echt mooi,' zegt hij zacht.

Zijn gezicht is nu betrokken. Hij staat op van de bank.

'Kom,' zegt hij, en ik loop achter hem aan de woonkamer en de keuken door, en de trap op. Ik moet me aan de leuning vasthouden, voel nu dat ik dronken ben.

Het is donker in de slaapkamer. Hij knipt de oude lamp aan die aan zijn kant van het bed op het nachtkastje staat. Hij staat op een koperen voet, gegoten in krulpatronen, en heeft een kap van bleekgroen fluweel met gouden franje; het licht is gedempt. Door de ramen van het balkon zie ik de appelboom bij Anders en Karin, een beetje wazig door de regen, die brandt de hele nacht.

Gabriel doet de deuren van een van de kasten open en haalt er een jurk uit. Een zwarte met pareltjes erop geborduurd en dunne schouderbandjes; hij ziet er duur uit. Wanneer ik het label in de hals zie, begrijp ik dat hij ook echt duur geweest moet zijn; PRADA staat erop. Ik kijk hem aan.

'Wat is dat voor jurk?'

'Die heb ik voor Stella gekocht toen we in Italië waren.'

'Wat een mooie.'

'Je moet hem eens passen.'

'Hè?'

Ik heb het gevoel dat mijn hersens traag zijn. Gabriel glimlacht naar me en trekt de rits in de zijkant van de jurk open.

'Hij zou je zo goed staan. Met je haar zo. Het is toch zonde als hij bijna ongebruikt blijft hangen?'

Glimlachend overhandigt hij me de jurk en knikt naar het kamerscherm achter de kast. Het is een oudje, niet gekocht door Gabriels opa en oma, maar door een familielid van nog verder terug in de tijd. Het is van hout, glimmend zwart gelakt, met patronen van Aziatische vissen met vinnen als sluiers en golvende waterplanten in goud en groen. Terwijl ik me omkleed, kijk ik naar de vissen. Ik heb bijna het idee dat ze bewegen, naar me knipogen. Ik denk aan de karpers in de vijver in de kas, hun langzame bewegingen onder water, en trek de jurk voorzichtig aan. Die heeft een zachte, zijden voering en glijdt gemakkelijk over mijn lichaam, hij voelt koel aan. Het is bijna net zoiets als duiken, denk ik, als omsloten worden door water. Ik zie mezelf in de spiegel die aan de muur hangt. Het is echt een mooie jurk, de duurste die ik ooit heb aangehad, en hij zit als gegoten. Ik ben vast afgevallen. Stella was altijd iets slanker dan ik, een paar centimeter korter en wat dunner. Haar kleren altijd een halve maat te klein als ik ze wilde lenen, niets zat ooit helemaal goed. Door de wijn zijn mijn lippen donkerder dan gewoonlijk. Ik bevochtig ze en glimlach aarzelend naar mijn spiegelbeeld.

Gabriel zit op de rand van het bed. Ik hoor hem naar adem happen als ik achter het scherm vandaan stap.

'Kom eens hier,' zegt hij zacht. Ik gehoorzaam, loop door de slaapkamer totdat ik voor hem sta en hij de stof van de jurk aanraakt, voorzichtig met zijn hand over mijn dij strijkt en naar me opkijkt.

'Wat ben je mooi,' mompelt hij.

Zijn hand gaat weer over mijn dij, hij trekt me iets dichter naar zich toe, spreidt zijn benen zodat ik ertussen sta, hij gaat met zijn hand over de achterkant van mijn bovenbeen omhoog, ik doe mijn ogen dicht, haal zwaarder adem. Hij raakt me nu met beide handen aan, over de stof heen, en dan opeens eronder, ik haal heftig adem als ik zijn handen op mijn huid voel, zacht over mijn dijen, en daarna gaan ze tastend op weg naar achteren, onder de jurk naar boven, resoluter nu.

Hij legt zijn handen om mijn middel, ik buk en dan legt hij ze om mijn hals, trekt mijn hoofd naar het zijne toe, kust me en ik doe mijn lippen van elkaar, hij smaakt naar wijn. Ik ga voorzichtig met mijn nagels over zijn nek, onder de boord van zijn overhemd, en hij kreunt, trekt me op het bed, op mijn rug. Hij ligt boven op me en blijft me zoenen, raakt met zijn ene hand mijn haar aan, pakt het bij elkaar in een staart, wikkelt het om zijn hand en laat zijn andere hand mijn pols vasthouden, net als in de kas de afgelopen zomer, net als een paar dagen geleden toen hij naar mijn nagellak keek. Zijn greep is even hard als toen en hij zoent me nog steeds, trekt mijn hoofd achterover, waarna hij mijn haar loslaat, met zijn hand over mijn lichaam strijkt, over mijn borsten en mijn middel, over mijn bovenbeen, en vervolgens weer onder mijn jurk. Ik kreun, duw me tegen hem aan, zijn hand zit nu in mijn slipje, hij kreunt luid wanneer hij voelt hoe nat het daar is.

'Mijn god,' mompelt hij, zowel verbaasd als opgewonden, alsof hij niet gelooft dat het waar is, dat hij nog eens moet voelen, verder moet voelen, ik duw me tegen zijn hand aan en hij beweegt hem heen en weer, ik kerm, klamp me aan hem vast, mijn handen onder zijn overhemd nu, ik haal mijn nagels over zijn rug en hij kreunt luider, beweegt zijn hand sneller tussen mijn benen, ik ben gestopt met denken en voel alleen zijn hand. Ik zoek op de tast naar de knoop van zijn spijkerbroek, vind die, maar kan hem niet openkrijgen, hij laat mijn pols los om te helpen.

'Ga eens op handen en voeten zitten,' zegt hij zacht, en als ik niet meteen gehoorzaam, zegt hij het nog eens, strenger ditmaal. Nu doe ik wat hij zegt, en hij is achter me, raakt me eerst door de jurk heen aan en dan eronder, trekt hem omhoog en schuift mijn slipje opzij.

Gabriel is aan het inpakken, ik mag overdag zijn computer gebruiken. Hij is veel buiten, dingen aan het uitzoeken; hij gooit veel weg. Hij rijdt een paar keer met rommel naar de vuilstort en met dozen naar een liefdadigheidsinstelling. Ze organiseren 's zomers vlooienmarkten en daar brengt hij al Stella's spullen naartoe: boeken, platen en tijdschriften. Hij heeft de spullen van zijn grootouders nooit echt goed opgeruimd toen hij in dit huis kwam wonen, vertelt hij. Hij kon er niet toe komen en heeft alles door elkaar in dozen gestopt, die hij in het schuurtje in de tuin heeft opgeslagen, waar het bovendien al vol stond met dozen die ze er zelf hadden neergezet. Nu pakt hij ze uit, bekijkt en sorteert de inhoud; hij is er een paar dagen zoet mee. Het meeste gaat in de dozen die weggegeven zullen worden, maar sommige dingen wil hij bewaren. Hij komt het me laten zien als hij iets gevonden heeft wat hij mooi vindt, met een blij gezicht, alsof hij een schat heeft gevonden: oude porseleinen beeldjes, boeken, een doos vol gedichten van een schrijver van wie ik nog nooit heb gehoord. Gabriel reikt me triomfantelijk een paar dichtbundels aan, zegt dat het eerste drukken zijn, dat ze waardevol zijn. Hij zal ze meenemen naar Stockholm, zegt hij, en hij stopt ze in een andere doos. Hij pakt veel boeken in, ook al zegt hij dat hij alleen het noodzakelijkste meeneemt. De boekenkasten in de woonkamer vertonen nu gapende gaten.

'Hoe gaat het?' vraagt hij, en hij gluurt naar het beeldscherm van de computer. Ik scrol een eindje omlaag in het document, ik wil niet dat hij het leest.

'Wel goed,' mompel ik. 'Ik heb een paar bladzijden geschreven.'

Hij staat achter me en aait zacht over mijn haar. Hij lijkt in gedachten verzonken wanneer hij door de ramen over de velden kijkt. Het schemert nu. De zon gaat vroeg onder en het waait de laatste dagen harder. De wolken scheuren; er vlammen roze en oranje wolkenflarden boven de horizon als coulissen tegen de donkere hemel voordat de zon helemaal verdwijnt. Gabriel heeft een bak hyacinten gekocht. Er staan er twee van op het balkon, die half zijn uitgekomen, een roze en een paarse, ze geven al een zwakke geur af.

'Het is koud op je kamer, zeker?' vraagt hij.

Ik kijk naar hem op.

'Ja.'

'Beneden tocht het meer,' zegt hij. 'De ramen daar zijn ouder.'

Hij kijkt me aan en lijkt naar de juiste woorden te zoeken.

'Nou dacht ik... dat je wel bij mij boven kunt slapen als je dat wilt. Het waait nu zo hard, en het is toch al te gek dat jij 's nachts ligt te vernikkelen.'

Ik weet niet wat ik moet zeggen. Ik knik alleen bij wijze van antwoord, maar voordat ik die avond ga slapen, neem ik mijn dekbed en mijn kussen mee naar boven, maak met mijn lakens het bed op aan Stella's kant, kruip onder het dekbed, onder de schaduw die de appelbomen beneden in de tuin tegen het plafond werpen, en wacht totdat Gabriel in bed komt.

Als we de volgende avond in de woonkamer zitten is Gabriel aan de beurt om een plaat uit te zoeken. Hij heeft bakken vol vinylplaten. Toch heeft hij er minstens evenveel verkocht, heeft hij verteld. Nu heeft hij daar spijt van, maar hij had geld nodig voor de huur die zomer; hij studeerde en was net in Stockholm komen wonen. Hij kiest een plaat uit en geeft de hoes aan mij. Ik bekijk hem verstrooid. Ook in de woonkamer ruikt het naar hyacinten, ze staan voor bijna elk raam en vullen het hele huis met hun geparfumeerde geur. Mijn hoofd zit vol watten, dat heb ik nu al dagen, ik ben alleen bezig gedachten van me af te zetten: de consequenties die het zal hebben dat ik mijn scriptie nooit afkrijg, gemiste punten en de dreiging dat mijn studiefinanciering wordt stopgezet. Het is té vervelend, ik denk er niet over na. Vanochtend heb ik Rossetti's *Annunciatie* opgezocht in een van de kunstboeken die ik bij me heb. Zijn Maria kijkt helemaal niet bang, zoals ik me haar herinnerde. Ze lijkt met haar gedachten elders te zijn, verbeten, alsof ze zichzelf voorhoudt dat wat zich voor haar ogen afspeelt niet echt gebeurt. Volgens mij lijken we op elkaar: Maria en Marina.

We drinken thee, Gabriel heeft er een thee complet van gemaakt, met scones en kleine potjes jam. Hij lijkt enthousiast en heeft het erover hoe goed het hem zal doen hier een tijdje weg te zijn. Hij weet niet eens of hij in de zomer nog wel terug wil komen, zegt hij. Hij overweegt het huis te verhuren en naar het buitenland te gaan, ergens een hele poos te blijven om te schrijven.

'Zweden is te klein voor mij,' zegt hij lachend.

Ik doe mijn best om even naar hem te glimlachen.

'Je kunt me toch komen opzoeken?' vraagt hij.

'Waar ga je dan heen?' vraag ik. Ik hoor zelf hoe dun mijn stem klinkt. Hij lijkt het niet te merken.

'Naar Frankrijk, neem ik aan. Of naar Italië. Daar ben ik

nog vrijwel nooit geweest, alleen... ja, alleen met Stella. Jij?'

Ik schud mijn hoofd.

'Ik ben nog vrijwel nergens geweest.'

Ik was aan het idee gewend geraakt dat Gabriel in Stockholm zou gaan wonen, dat zag ik wel zitten. Ik was het een prettig idee gaan vinden dat hij er zou zijn als ik een begripvol iemand nodig had, die ik niet alles hoefde uit te leggen. Ik heb zelfs al bedacht dat ik misschien ook in Stockholm bij hem zou kunnen slapen, maar nu lijkt die avond afgelopen zomer weer veel te dichtbij, de avond nadat hij me voor het eerst had gezoend, toen de gedachte bij me opkwam dat het een spel voor hem was. Dat is het misschien nog steeds. En nog steeds is niets een spel voor mij, hoe graag ik dat ook zou willen. Dat voelde ik de eerste nacht naast hem in bed, toen hij in slaap gevallen was en ik naar zijn ademhaling lag te luisteren en me voor het eerst in lange tijd veilig voelde. Voor mij is het nooit een spel geweest.

Ik moet mijn tranen wegknipperen, ik kan niet overal om blijven huilen. De laatste maanden heb ik alleen maar gehuild, gehuild tot ik moest overgeven, of totdat ik in slaap viel van uitputting, met een zwaar en vermoeid lichaam, rillend, koortsig. Ik moet een keer stoppen met huilen.

Ik pulk een versleten prijskaartje van de platenhoes, kijk naar de foto van de band op de achterkant. Die is dramatisch belicht. Alle bandleden hebben haar dat alle kanten op staat en dragen jasjes met grote schoudervullingen. Ze kijken bloedserieus, ook al moeten de meeste mensen die de foto zien er nu waarschijnlijk om lachen.

'Hoe zag jij eruit in de jaren tachtig?' vraag ik Gabriel om van onderwerp te veranderen.

Hij lacht en lijkt niet te hebben gemerkt dat zijn woorden over naar het buitenland verhuizen me verdrietig hebben gemaakt.

'Nou, in de jaren tachtig was ik natuurlijk jong en mooi. En ik droeg heel mooie jasjes.'

'En je had een mooi kapsel.'

'Er was niks mis met mijn kapsel.'

Hij glimlacht.

'Ik heb wel foto's... als ik ze kan vinden. En als je die wilt zien?'

'Ja, leuk.'

Hij staat op van de bank en trekt een paar laatjes open van de grote ladekast die in de woonkamer staat, totdat hij vindt wat hij zoekt: een stapel grote zwarte fotoalbums. Hij bladert er even in om de chronologie ervan te bepalen en overhandigt mij dan het oudste album.

'Dit is van 1982 of 1983, zoiets,' zegt hij, en hij gaat weer naast me op de bank zitten en kijkt over mijn schouder terwijl ik het album opensla en glimlach om een heel jonge Gabriel in een gestreept jasje en een zwarte broek met smalle pijpen. Eerst zijn het foto's van een feest. Gabriel zegt dat het uit de tijd is toen hij net in Stockholm was komen wonen en studeren. Op een van de foto's staat hij met zijn arm om de schouders van een blond meisje met veel zwarte make-up om haar ogen, op een andere zoent hij haar. Op de volgende bladzij staan ze op een plein ergens in Zuid-Europa, zo te zien. De gebouwen op de achtergrond zijn mooi maar gehavend, de gevels bladderen af, de palmen werpen lange schaduwen op de straatstenen van het plein. Gabriel tuurt door toegeknepen ogen naar de camera en het blonde meisje draagt een grote, donkere bril.

'Dat is in Spanje,' zegt Gabriel. 'Åsa heette ze.'

In het volgende album heeft Gabriel iets langer haar en draagt hij bijna uitsluitend zwarte kleren. Hij zit aan cafétafeltjes in Stockholm, Kopenhagen, Parijs en Rome te roken. Hij heeft een tijd veel gereisd, vertelt hij, soms samen met een vriend, maar vaak alleen. Een album later is het 1988, 1989 en woont Gabriel in Parijs. Hij draagt een wit overhemd en een zwart jasje, en heeft nog langer haar. Hij is meestal ongeschoren en heeft op veel foto's een mooie, jonge vrouw naast zich. Ze heeft lang, donker haar, sluik en glanzend, en donkere ogen. Ze draagt een jas die strak aangesnoerd is om haar middel, met een grote bontkraag, en lacht op bijna alle foto's naar de camera.

'Dat is Adèle,' zegt Gabriel. Ik knik.

'Wat is ze mooi.'

'Ja. Dat is ze zeker.'

Hij staat weer op van de bank, gaat voor een van de ramen staan en lijkt naar buiten te kijken, ook al is het daar zo donker dat hij alleen zijn eigen spiegelbeeld kan zien. Hij zet zijn handpalmen op de vensterbank en zucht.

'Het is vast al tien jaar geleden dat ik die foto's voor het laatst heb gezien.'

Ik blader verder. Nu zijn ze aan het picknicken. Het is zomer. Adèle zit op een deken en lacht naar de camera; ze draagt een gestreept topje en een witte rok. Er volgen meer foto's van feestjes: Gabriel met een kartonnen fez op zijn hoofd en een glas in zijn hand, breed glimlachend, Adèle in kleermakerszit op een oosters tapijt.

'Gaat het wel?' vraag ik.

Gabriel, bij het raam, schudt zijn hoofd.

'Ik weet het niet. Het lijkt alleen zo lang geleden. Ik voel me... nou ja, oud.'

Hij draait zich om en glimlacht flauwtjes naar me.

'Ik ga nog maar een kopje thee zetten,' zegt hij. 'Wil jij ook?'

'Ja, graag.'

Hij verdwijnt de keuken in met onze kopjes, terwijl ik verder blader in het album: Adèle die jarig is. Ze lacht en blaast de kaarsjes op een taart uit. Ik probeer ze te tellen en kom op tweeëntwintig. Gabriel en Adèle op een balkon; ze heeft een witte badstof ochtendjas aan en een schaal met geroosterd brood voor zich. Gabriel en Adèle op een steiger, op een eilandje in de Zweedse scherenkust zo te zien, met berken op de achtergrond. Gabriel draagt een lichte spijkerbroek met opgerolde pijpen en is ongeschoren; hij ziet er doodmoe uit in het scherpe licht, opeens veel ouder dan op de foto's in de eerste albums. Daarna Adèle die zich klaarmaakt om uit te gaan; ze past schoenen voor een grote spiegel. Ze heeft dikke eyeliner op en draagt een zwarte jurk. Ik tuur naar de foto. De jurk heeft smalle schouderbandjes, valt tot op de knie en ziet er duur uit. Ik weet dat hij met zachte zijde gevoerd is, dat er zwarte pareltjes op geborduurd zijn, ook al zie je die niet op de foto, dat hij koel aanvoelt op je lichaam als je hem aantrekt. Ik weet dat de stof dun is, maar mooi valt door het gewicht van de pareltjes.

Ik slik. Gabriel zet een dampende kop thee voor me op tafel neer. Ik schrik, sla snel een bladzijde om van het album, maar bedenk me en blader terug.

'Dit, hè...' zeg ik. Op het moment dat ik begin te praten realiseer ik me dat ik niet weet hoe ik het moet zeggen. 'Dit is toch die jurk?'

Ik wijs naar de foto van Adèle. Gabriel fronst zijn wenkbrauwen en kijkt me vragend aan.

'Die jij in je kast had hangen? Waarvan je zei dat je die voor Stella had gekocht?'

Ik kijk hem onderzoekend aan. Zijn gezicht is uitdrukkingsloos.

'Die ik van jou moest aandoen... je weet wel?' zeg ik zacht, maar hij geeft er geen blijk van dat hij begrijpt waar ik het over heb. Hij zet zijn theekopje naast het mijne neer.

'Dat is niet dezelfde jurk,' zegt hij.

Ik wijs weer naar de foto.
'Maar ik zie toch dat het wel dezelfde is.'
Ik ben er nu van overtuigd dat ik gelijk heb. Mijn stem is krachtiger.
'Waarom zei je dat je die voor Stella had gekocht?'
'Dat is die jurk niet,' zegt Gabriel weer. Hij kijkt nu wat geïrriteerd, maar vooral moe, terneergeslagen. 'Hij lijkt er sterk op, daar heb je gelijk in. Maar het is niet dezelfde.'
Ik sta op van de bank.
'Ik ga hem halen, dan kunnen we vergelijken.'
Hij schudt zijn hoofd.
'Marina, ga zitten,' zegt hij. 'Ik heb hem niet eens meer.'
'Wat?'
'Ik heb hem gelijk met Stella's andere kleren naar de liefdadigheid gebracht.'
'Waarom?'
Hij haalt zijn schouders op.
'Had jij hem willen hebben?'
'Waar ben je mee bezig?'
Hij kijkt me aan. Hij kijkt echt alsof hij niet begrijpt waar ik het over heb. Hij kan goed liegen, realiseer ik me, misschien zelfs beter dan ik, maar hij is natuurlijk schrijver, het is zijn werk.
Gabriel neuriet mee met de muziek en kijkt me aan.
'Hoef je geen thee meer?'
Ik schud mijn hoofd.
'En wil je me ook geen gezelschap meer houden?'
Ik walg nu overal van. Ik word misselijk.
'Nee,' mompel ik. Ik ben de keuken al half uit en laat hem bij de woonkamertafel zitten.

Maar wanneer hij vervolgens in bed komt liggen, moet ik weer tegen hem aan kruipen. Ik ben vóór hem naar bed gegaan, ik heb een poosje liggen lezen en gedacht: ik val vast in slaap voor hij in bed komt, en als ik dan nog niet slaap, doe ik net alsof, ga ik met mijn rug naar hem toe liggen slapen. Maar dan ruik ik zijn geur en krijg ik een knoop in mijn maag – die vanillegeur – en moet ik dichter naar hem toe kruipen, mijn wang tegen zijn borst leggen en voelen dat ik rustig word in mijn hele lijf doordat ik zijn hart hoor slaan. Hij tilt mijn gezicht op en kust me voorzichtig, en dan moet ik huilen. Hij veegt mijn tranen af en houdt me vast, en ik wil dat hij me nog eens zoent, dus dat doet hij, hongeriger nu. Hij kust mijn wangen ook en daarna smaken zijn lippen zout, en ik klamp me aan hem vast.

'Ik wil niet dat je naar het buitenland gaat,' fluister ik hem toe. 'Ik wil bij jou zijn.'

Ik huil nog steeds. Hij streelt mijn haar. Het voelt net als op de avond dat ik aankwam, de allereerste avond op de bank toen hij me troostte en ik met mijn hoofd tegen zijn borst in slaap viel.

'Natuurlijk blijven we bij elkaar,' mompelt Gabriel. Zijn hand is langs mijn haar naar beneden gegleden, over mijn rug en mijn bovenbeen. Hij streelt het zacht en toch vastbesloten, op en neer, onder mijn nachthemd. Ik raak opgewonden van zijn aanraking, ook al huil ik nog steeds. Mijn hoofd doet opeens zeer en voelt koortsig aan. Ik houd hem stevig vast. Geheimen verbinden mensen, denk ik, misschien heeft hij dat nu ook door, dat schuld een band schept, dat we nu aan elkaar vastzitten. Zijn kussen smaken zilt en opeens weet ik nauwelijks meer waarom ik huil, ik voel alleen zijn hand op mijn dijbeen. Natuurlijk blijven we bij elkaar, denk ik, bij wie anders?

Elke dag dezelfde mist, dezelfde regen. We rijden naar het kasteel, dat is Gabriels idee. Eerst zouden we alleen maar naar het dichtstbijzijnde winkeltje rijden om boodschappen te doen voor het eten: tomaten en basilicum en nog wat satsuma's voor mij. Daarna wilden we geen van beiden terug naar huis.

Uit de verte ziet het eruit als een coulisse, of een silhouet: het kasteel met zijn vleugels dat zich aftekent tegen de vlakke, lichtgrijze hemel, en de bomen langs de laan, de bomen in het park: zwart en vochtig. De mist hangt als een toneeldoek in de lucht. Gabriel is hier niet meer geweest sinds de eerste herfst met Stella. Ik denk aan wat ze zei over terugkomen in hetzelfde jaargetijde. Het is nu een ander jaargetijde. Het blijft maar regenen en de mist trekt nooit op. Gabriel houdt mijn hand vast wanneer we door de laan lopen en de stenen op de grond onder ons knerpen. Het grind is donker en nat, vermengd met de resten van duizenden kastanjes en hun bolsters. Zijn hand is warm en voelt groot aan in de mijne. Ik knijp er stevig in, bedenk dat die een soort belofte is, ook al is er niemand aanwezig om daar getuige van te zijn.

Het terras is nu gesloten. In deze tijd van het jaar komt hier door de week geen mens. In de weekends houden ze er een kerstmarkt, blijkt uit een informatiebord. Voor een kraam bij de ingang ligt stro; misschien maakt iemand daar kerstbokken, graanschoven voor de vogels en strooien sterren om in de kerstboom te hangen, maar het enige kerstachtige wat nu te zien is, zijn de elektrische kerstkandelaren voor de ramen van het kasteel, die aangaan als het schemerig wordt. We lopen een poosje rond door de kasteeltuin. Een man die lampjes in een boom hangt knikt ons toe. Hij denkt dat we een stel zijn, bedenk ik, en het flitst door mijn hoofd dat hij Gabriel misschien wel herkent. De meeste mensen herkennen hem hier in de streek. Misschien denkt de man in de tuin wel dat ik Stella ben, ik heb haar regenjas aan. Ik knijp harder in Gabriels hand, hij knijpt terug en kijkt me glimlachend aan.

Ik zou vaker moeten wandelen, bedenk ik wanneer ik de capuchon van de regenjas strakker om mijn gezicht trek. Ik zou weleens een andere kant op willen lopen, maar dat kan hier niet. Je kunt over de velden of door het bos, maar daar kom je nergens, alleen bij het meer en daar wil ik niet naartoe. Toch loop ik die kant op en ga dan linksaf, in plaats van rechtsaf naar het meer, en sta omringd door natte, donkere dennen, uitgeblust na jaren in weer en wind. Ze hebben nooit de kans gehad om hoog en recht te worden, ze zijn van boven afgeplat, klein en gedrongen, vormvast als het ware, als op een symbolistisch schilderij. Ze zien er onbeholpen uit tussen de beuken en de eiken. Het ritselt dof onder mijn voeten van de naalden, die vochtig glimmen. De vermoeide dennenwortels bij het pad glimmen ook, ze zijn glad van de regen. Er hangt een zwakke geur van hars in de lucht. Die heb ik afgelopen zomer voor het laatst geroken, de geur van warm bos, zomerbos, op het pad tussen de bomen door, toen ik bij het meer was geweest, en toen Stella en ik daar samen waren geweest.

Het was haar laatste wandeling, over het pad aan de andere kant van de weg. Ze moet de geur van warm bos die middag ook hebben geroken. Het was tot lang in de nazomer warm, ze droeg een jurk. Ze hebben haar gekleed in een jurk uit het meer gehaald. Ze kan daar niet lang hebben gelegen; ze zag er niet zo eng uit als in mijn gedachten. Niet zoals in de film wanneer ze lijken uit meren halen. Ik heb erover gelezen, over wat er met je lichaam gebeurt als je dood bent. Ik heb akelige details gelezen, hoewel ik die eigenlijk niet wil weten, maar die dingen hadden bij haar nog niet kunnen gebeuren. Verkleumd, met bleke lippen en verschrompelde vingertoppen zag ze eruit alsof ze te lang in bad had gezeten, alsof ze in slaap was gevallen terwijl het badwater was afgekoeld. Ik wil de gedachte van me afschudden, ik wil er niet meer aan denken, niet nog eens, niet meer aan Stella denken, niet op die manier.

Verderop in het bos zie ik iets felroods bewegen. Het duurt even voor ik doorheb dat het een mens is: vormeloos, glimmend. Het is Karin, in een grote rode regenjas, het lijkt wel een tent. Ze is Sture aan het uitlaten. Hij glijdt als een schaduw onder de varens, snuffelt in het voorbijgaan aan een boom en lijkt op zijn hoede.

Karin glimlacht als ze me in het oog krijgt.

'Ben je een wandeling aan het maken?'

'Ja... eigenlijk weet ik de weg niet in dit bos. Ik wilde alleen voor de verandering eens een andere kant op.'

Ze knikt.

'Je kunt hier niet verdwalen. Er loopt aan twee kanten een weg en aan de derde kant is de zee.'

Ze maakt een gebaar met haar hand in de richting waar de zee kennelijk is, in het westen volgens mij.

'Nou, een kopje koffie zou er nu wel ingaan,' zegt ze.

Ik knik.

'Nou, zeker.'

'Loop je dan mee naar ons huis?' vraagt ze, en ik besef dat haar opmerking over koffie een uitnodiging was.

'O... ja, graag.'

Anders is naar de stad om boodschappen te doen, zegt Karin. Ze praat over koetjes en kalfjes terwijl ze in de keuken koffiezet. Ze vraagt of ik een broodje wil of koekjes, en geeft Sture eten in een oude porseleinen schaal. Hij eet gulzig en ik realiseer me dat ik hem nu voor het eerst enthousiast zie over iets.

We zitten weer in de woonkamer. Karin moet de grote lamp aandoen. Ze merkt op dat het tegenwoordig zo vroeg donker wordt, en dan die eeuwige regen. Het wordt nooit helemaal licht, zelfs midden op de dag niet. Het is stil in de kamer. Het slaapverwekkende geroffel van de regen op de vensterbanken is het enige geluid. Alle siervoorwerpen en fotolijstjes staan zorgvuldig gerangschikt en afgestoft op hun gehaakte kleedjes. Op het kastje staat een groepje porseleinen hondjes, allemaal windhonden, net als Sture. Karin ziet me kijken.

'Die spaar ik al vanaf mijn jeugd. Al heb ik er nog steeds niet zoveel gevonden.'

Ze glimlacht en snijdt een ander onderwerp aan: haar zus die in Spanje woont, in Alicante. Anders en zij gaan in januari bij haar op bezoek, dat doen ze elk jaar. Dan lijkt het alsof ze zichzelf erop betrapt dat ze iets verkeerds heeft gezegd; eerst begrijp ik niet wat, maar dan besef ik dat ze denkt dat het woord 'zus' te pijnlijk voor me is, dat ze bang is dat ik verdrietig word.

'Het geeft niet,' zeg ik tegen haar. Ze knikt bij mijn seintje dat het oké is en haalt diep adem.

'Tja, ze zal het niet gemakkelijk hebben gehad,' zegt ze.

'Wat bedoel je?'

'Nou, je zus. Om met hem samen te wonen.'

'Met Gabriel?'

Ze knikt weer.

'Heeft ze er niets over verteld?' vraagt ze.

'Waarover?'

'Over hun ruzies?'

'Nee?'

Karin schudt haar hoofd.

'Waarschijnlijk wilde ze je niet ongerust maken.'

'Ik begrijp het niet. Ongerust waarover?'

Ik heb mijn koffiekopje neergezet.

'Nou, we vermoedden natuurlijk wel dat het niet helemaal goed zat,' zegt ze. 'En ze is hier dus een keer geweest...'

'Wie? Stella?'

'... helemaal over haar toeren. Ze huilde en zei... ja, dat hij haar had geslagen.'

'Dat is toch niet waar?'

'Ze hadden vreselijke ruzie gehad, ze was bijna hysterisch.'

'Nee!'

Karin kijkt me verbaasd aan.

'Ik dacht dat ze jou dat wel had verteld.'

Ik schud mijn hoofd.

'Het is niet waar.'

Ik voel me nu misselijk, trillerig, misschien van de koffie of van de kou. Ik wil mijn ogen dichtdoen en mijn handen voor mijn oren houden en verdwijnen, weg van de bank en de tafel en de schaal met koekjes. Het zijn droge kruimelkoekjes, mijn kaken malen ze mechanisch fijn, ik neem een slok koffie om te kunnen slikken.

'Het is echt zo,' hoor ik Karin zeggen. Ze klinkt ontmoedigd en beslist tegelijk. 'Het is tragisch, maar waar.'

'Wanneer... Wanneer was dat dan?' vraag ik. Mijn stem klinkt nu klein en zwak.

'Ongeveer een jaar geleden nu. Herfst vorig jaar.'

Ik kom niet graag thuis in een donker huis. Ik erger me eraan dat Gabriel niet een paar lampjes aan kan laten voor de ramen. Aan dat soort dingen denkt hij niet. Hij vindt het prettig als het donker is. Hij vindt het onnodig dat ik in alle kamers lampen aandoe, dat ik het licht boven laat branden terwijl daar niemand is. Ik heb gezegd dat ik het vervelend vind om de trap op te lopen naar een compacte duisternis, maar daar lacht hij om, hij zegt dat ik me aanstel en dramatisch doe.

Ik leg de weg van Anders en Karin naar huis snel af. Er is ook geen straatverlichting, maar ik kan goed zien in het donker. Ik volg de berm zonder problemen en trek mijn regenjas dichter om me heen; die houdt de wind wel tegen, maar de kou niet.

Nils zit voor de deur op me te wachten. Hij miauwt klaaglijk terwijl ik de sleutel zoek in de diepe zakken van de jas en glipt snel naar binnen zodra ik de deur opendoe. Misschien zou ik Gabriel naar kerstkandelaren moeten vragen, denk ik. Misschien staan er ergens dozen met kerstversiering. Eigenlijk is het niet nodig iets neer te zetten, aangezien we hier allebei binnenkort weggaan, maar misschien een paar elektrische kandelaren voor het raam... Die zouden we aan kunnen laten; dan brandt er een lichtje als ik thuiskom.

Nadat ik beneden een paar lampen heb aangedaan loop ik de trap op. Bijna elke trede kraakt. Boven is het donker. Snel knip ik de lamp op de kleine overloop aan. Daar kraakt de vloer ook. In de slaapkamer werpen de appelbomen zoals altijd hun schaduwen tegen het schuine dak. Ik doe de grote lamp ook aan om de schaduwen te verjagen, ga op de rand van het bed zitten, aan Stella's kant, die nu de mijne is, en trek het laatje van het nachtkastje open. Haar dagboek ligt er nog. De zijden stof glimt onverschillig wanneer ik het uit het laatje haal. Ongeveer een jaar geleden, herfst vorig jaar. Ik blader terug, langs aantekeningen over mijn bezoek, over midzomer vieren met vrienden, het plantwerk in het voorjaar, de kerstviering. Ik zie mijn voorletter weer, maar wil niet stoppen om de tekst te lezen.

De vorige herfst is even spaarzaam beschreven. Er zitten aantekeningen bij over kerststukjes maken en het budget, weekends met uitstapjes, doordeweekse dagen, ze kopen een nieuw koffiezetapparaat omdat Stella per ongeluk de kan van het oude kapot heeft laten vallen, ze gaan naar een film die ze heel goed vindt. Nils heeft gevochten en lijkt er slecht aan toe te zijn, ze gaan met hem naar de dierenarts, hij knapt snel weer op. Ik lees de bladzijden vluchtig door, totdat het augustus is geworden, en zomer, zonder dat er iets bijzonders lijkt te zijn gebeurd. Dan begin ik weer van voren af aan, met de woorden van Karin in gedachten. Nu lees ik nauwkeuriger, oktober, donderdag de achttiende: *Het ergert me soms dat G. niet lijkt te werken, ook al zegt hij van wel – ik zou me er niet druk om moeten maken, ik heb het er met L. over gehad op het werk. Ze zei: zolang hij geld heeft, maakt het toch niet uit? Daar heeft ze natuurlijk gelijk in.* Dinsdag de drieëntwintigste: *Er had een schoorsteenveger zullen komen om de schoorsteen te inspecteren, maar G. was twee keer niet thuis toen hij kwam. Ik wilde vanavond de kachel niet aanhebben, ik vind het akelig als het misschien niet veilig is, maar G. hield voet bij stuk. Ik vond het de hele avond branderig ruiken.*

Zit er een gefrustreerde toon in die korte aantekeningen, of denk ik dat maar? Hoe zou ik ze hebben gelezen als ik zeker had geweten dat alles goed zat tussen Stella en Gabriel? Ik stel me de scène met de schoorsteenveger voor: eerst zegt ze tegen Gabriel dat hij toch wel ergens verantwoordelijkheid voor kan nemen als hij hele dagen thuis is; hij antwoordt dat hij werkt; hij heeft een wandeling gemaakt, dat moet toch kunnen? Hij vergeet dingen als hij midden in een roman zit. Stella snuift, mompelt iets in de trant van dat hij daar nu al zo lang middenin zit. Dan maakt hij vuur in de tegelkachel, ook al vraagt ze hem dat niet te doen. Misschien zegt ze: 'Stel je voor dat we een schoorsteenbrand krijgen!' Hij zegt dat dat tot op heden niet is gebeurd, je hoeft de schoorsteen niet zo vaak te laten vegen als de schoorsteenvegers zeggen, je kunt best wat langer wachten. Natuurlijk zeggen zij dat het vaker moet; het is hun broodwinning. Misschien heeft ze haar dag niet en is ze snel op haar teentjes getrapt, lichtgeraakt en prikkelbaar, misschien zegt ze: 'Ik blijf hier niet als jij de kachel aansteekt.' Hij zegt: 'Dan maar niet.' Zij loopt de hal in, trekt haar laarzen en een regenjas aan en loopt de deur uit. Waar gaat ze heen?

Of misschien ging het helemaal niet zo. Misschien ging het net als toen ik Gabriel vroeg of hij een paar lampjes aan wilde laten en hij zei: 'Dat is toch nergens voor nodig?' Ik zei dat ik het onplezierig vond om thuis te komen in een donker huis; hij glimlachte en zei: 'Doe niet zo raar', op een toon die aardig was, liefdevol zelfs, maar die tegelijkertijd verried dat hij beslist niet van plan was een paar lampjes aan te laten en dat ik dat maar moest accepteren.

'Ruikt het niet branderig?' stel ik me voor dat ze tegen hem zegt. Hij lacht even en zegt: 'Doe niet zo raar', op die aardige toon van hem. Misschien had ik voet bij stuk moeten houden wat die lampjes betreft, bedenk ik. Hem niet het laatste woord moeten geven met zijn opmerking dat ik niet zo raar moest doen.

Ik pak het dagboek weer op. Woensdag 11 november: *Ik loop nu al zo lang met futloos haar rond, ik was van plan morgen naar de kapper te gaan om er een flink stuk van af te laten knippen. Gabriel vond het geen goed plan.* Er staat de volgende dag niets over hoe het is afgelopen. Ik probeer me te herinneren of Stella haar haar had laten knippen of niet, maar met kerst had ik weinig verschil gezien, dus een flink stuk kan het niet geworden zijn. Misschien had ze het alleen een beetje laten bijpunten. Ik lees de laatste zin nog een keer: *Gabriel vond het geen goed plan.*

Hij gaat meteen in de keuken staan als hij thuiskomt en lijkt een goed humeur te hebben. Fluitend bereidt hij de maaltijd voor, snijdt wortels in dunne staafjes met het scherpe keukenmes, zo scherp dat ik het niet durf te gebruiken. Ik stel me voor dat ik uit zou kunnen schieten, mezelf een diepe snee zou kunnen toebrengen zonder dat ik er erg in had, zonder het te voelen, omdat het maar een heel dun sneetje zou zijn, zodat ik het pas zou doorhebben als ik zag dat de snijplank onder het bloed zat. Gabriel is niet bang voor messen. Zelfverzekerd hanteert hij het keukenmes en snijdt dunne reepjes wortel, die straks zacht worden zodra ze op het vuur staan en door de dunne staafjes prei gehusseld worden die al gesneden op een schaaltje klaarliggen; dat staat straks mooi bij het wit-met-blauwe servies. Hij fluit nog steeds als hij een wijnfles openmaakt en een glas inschenkt.

'Wil jij ook?'

Hij steekt glimlachend het glas naar me uit. In het licht van de plafonnière is de donkere wijn vuurrood, een mooie kleur.

Ik knik. Hij zet het glas voor me neer en schenkt nog een glas in voor zichzelf. Ik zit aan de keukentafel verstrooid in een modemagazine te bladeren dat met de post is gekomen voor Stella. Het abonnement loopt nog een paar maanden door; het zou opgezegd moeten worden. Weer fluitend maakt hij een blik kokosmelk open. Ik neem een slok van de wijn en blader verder. *Haar in de hoofdrol. Zo krijg je een echte sterrenlook. Lang of kort? De vorm van je gezicht bepaalt het.* Opeens krijg ik een idee.

'Ik denk dat ik mijn haar kort laat knippen,' zeg ik.

'O?' zegt hij. Hij klinkt verbaasd, maar kijkt niet om en blijft aan de blikopener draaien; die doet het blijkbaar niet.

'Dit is toch mooi?' vraag ik en ik houd hem het tijdschrift voor. Er staat een grote foto in van een Franse actrice met een golvend pagekopje en opgeknipt haar in de nek.

Hij komt naast me staan bij de tafel en bekijkt de foto.

'Wel wat kort, hè?' zegt hij.

'Vind je?'

'Je hebt zulk mooi haar.'

Hij legt zijn hand op mijn hoofd. Laat hem langs mijn haar over mijn schouder glijden.

'Het zou zonde zijn om het zo kort te laten knippen.'

Ik schud mijn hoofd.

'Ik heb mijn hele leven al lang haar. Ik heb er genoeg van.'

'Ik vind het een slecht idee.'

Ik voel hoe zijn hand mijn haar in een staart bij elkaar pakt in de nek, het om zijn hand wikkelt.

'Misschien kan het me niet schelen wat jij vindt,' zeg ik zacht.

Nu trekt hij aan mijn haar, hij trekt mijn hoofd achterover tot ik recht naar het plafond kijk, net als afgelopen zomer op het terras, maar toen voelde het heel anders, toen wílde ik dat hij dat deed. Hij buigt zich over me heen en kijkt me zwijgend aan. Dan laat hij mijn haar opeens los en gaat terug naar de snijplank.

'Je moet het natuurlijk zelf weten,' zegt hij.

Mijn hoofd doet zeer. Hij is sterker dan hij denkt. Of hij weet precies hoe sterk hij is.

Ik kijk naar hem terwijl hij stukjes kip in de wok doet, en even later de wortelen en de prei. Hij schept ze snel en resoluut om in de pan. Wanneer hij de kokosmelk erbij heeft geschonken en het lege blikje in de vuilniszak wil gooien, stoot hij er per ongeluk mee tegen de rand van het kastdeurtje; het valt uit zijn hand op de grond.

'Verdomme!' roept hij, zo hard dat ik ervan schrik. Hij houdt zijn hand naar me omhoog: er zit bloed aan de binnenkant van zijn duim. Het stroomt langzaam naar beneden, naar zijn handpalm.

'Is het erg?'

Ik ben in een oogwenk bij hem, scheur een stuk keukenrol af, pak zijn hand vast en veeg het bloed voorzichtig weg. Het is een klein wondje, dat helemaal niet zo diep lijkt, en het bloeden houdt bijna meteen op. Toch vloekt hij nog een paar keer en geeft een schop tegen het lege conservenblikje, zodat het tegen de plint knalt naast de plek waar Nils altijd zit te eten. Er spat kokosmelk op de vloer en tegen het behang.

Het witte vest wordt nat in de vochtige lucht; het lijkt wel of er een dun laagje glinsterende kristallen op het angora ligt, een laagje sneeuw. Er zit bijna geen geur meer aan nadat het de hele ochtend buiten te luchten heeft gehangen, spierwit als een spook in de grijsbruine tuin. Zodra het droog is, trek ik het aan. Ik doe de parelmoeren knoopjes zorgvuldig dicht. Voor de spiegel heb ik mijn haar keurig opgestoken. Ik dwing weerbarstige lokken met haarspelden op hun plaats.

In de keuken zet ik het koffiezetapparaat aan. Vijf kopjes, sterk, anders lust hij het niet. Ik hoor hem boven: het geluid van de oude bureaustoel die af en toe over de ongelijke houten vloer rolt, iets wat met een klap van het bureau valt, een boek misschien, van een van de hoge, wiebelige stapels.

Er is geen vers brood, maar als ik een paar roggebolletjes heb opgewarmd in de oven, ruiken ze net alsof ze versgebakken zijn. Ik beleg ze met ham en paprika, breek takjes peterselie van het tuiltje dat in een glas voor het keukenraam staat. De peterselie lijkt de hele winter groen en fris te blijven, omdat het zo zacht is, waarschijnlijk. Hij is nu wat bitterder dan van de zomer, maar ziet er mooi uit op de broodjes.

Ik schenk koffie in twee van de wit-met-blauwe kopjes, doe melk in mijn koffie en maak een dienblad klaar. Hij eet altijd iets om deze tijd, maar soms vergeet hij het. We vergeten allebei soms maaltijden. Het is net alsof ze niet meer in een lichamelijke behoefte voorzien, maar slechts een ceremonie zijn, een gewoonte.

De trap naar boven heeft zeventien treden; ik heb ze geteld. Ik ken dit huis straks op mijn duimpje.

Hij zit achter zijn bureau met zijn rug naar de deur, maar zodra hij me hoort, draait hij rond op zijn oude bureaustoel. Hij verstrakt als hij me in het oog krijgt. Zijn blik is even verbaasd, daarna betrekt zijn gezicht.

'Waar ben je in godsnaam mee bezig?' vraagt hij.

Ik weet niet wat ik moet antwoorden. Ik begrijp niet eens waar hij op doelt, totdat ik hem naar het vest zie staren, naar de rij glimmende knoopjes.

'Ik weet niet. Ik dacht...' begon ik. 'Je zei dat ik het moest dragen.'

'Natuurlijk heb ik dat niet gezegd.'

Ik zet het blad op het kastje neer.

'Als je koffie wilt, ik heb gezet,' zeg ik zacht.

'Trek dat vest uit.'

Zijn toon is nu scherp en wanneer hij opstaat van zijn stoel, deins ik achteruit; hij zet een stap naar voren.

'Ik dacht dat je het leuk zou vinden.'

Uit zijn gelaatsuitdrukking valt niets op te maken. Een seconde lang denk ik bijna dat er een glimlach over zijn gezicht gaat, een aardige glimlach; alsof hij dit uit bezorgdheid om mij doet, of dat in elk geval zelf denkt. Ik vind het niet prettig als ik het niet weet. Wanneer iets in zijn blik onbegrijpelijk is, onmogelijk. Het is geen normale blik, bedenk ik, maar hier is niets normaal. Ik loop langzaam achteruit. Als hij snel nog een paar stappen in mijn richting doet, draai ik me om en ren de slaapkamer door, de trap af, zeventien treden. Mijn voeten roffelen naar beneden, in de bocht houd ik me aan de gladgesleten trapleuning vast om niet te vallen, en ik ren de hal door, de logeerkamer in. Ik hoor zijn voetstappen op de trap; hij is vlak achter me. Ik sla de deur dicht en leg voor het eerst mijn hand op de grote zwarte gietijzeren sleutel die in het slot zit. Als ik hem rechtsom draai, volgt de tong zonder probleem en vindt met een zware klik zijn plaats in de uitsparing. Ik denk aan Stella's woorden die eerste avond: *Het werkt hier allemaal niet naar behoren.* Misschien sloeg dat niet alleen op het klemmende raam. Ik voel aan de deur; die zit op slot. Mijn hart bonst luid.

Meteen daarna duwt hij aan de buitenkant de klink naar beneden, zonder succes. Hij mompelt iets.

‘Marina?’ zegt hij op luide toon. ‘Waar ben je mee bezig?’

Hij duwt de klink weer naar beneden, trekt eraan om zich ervan te vergewissen dat hij echt niet binnen kan komen.

Ik deins achteruit, ga op het bed zitten, op de gehaakte sprei, en kijk naar de deur, naar de klink, die hij nog een paar keer naar beneden duwt als proef op de som.

‘Marina?’

Zijn stem klinkt nu vriendelijker. Ik knoop mijn vest los, trek het uit en gooi het in een prop op de grond. Dan merk ik dat ik huil. Ik veeg het vocht onder mijn ogen weg en kijk naar de deur. Het is koud zonder vest. Op de hele benedenverdieping is het koud, alleen in de keuken en de woonkamer niet. Ik til de gehaakte sprei op, sla die om mijn schouders en duik eronder weg. Ik hoor hem praten aan de andere kant van de deur.

‘Ik schrok van je,’ zegt hij. ‘Dat snap je toch wel? Jullie lijken soms zoveel op elkaar. Doe nu open. Het was niet mijn bedoeling boos te worden, sorry.’

Hij klopt voorzichtig aan.

‘Marina? Doe nu open.’

Na een poosje geeft hij het op. Ik hoor zijn voetstappen in de hal. Ik hoor water stromen in de keuken, gerammel met serviesgoed. Ineengedoken onder de sprei val ik in slaap.

Het is al donker als ik wakker word. Ik zie alleen mijn eigen spiegelbeeld in de ruit. Het is nog maar middag, maar het huis is stil; het had evengoed middernacht kunnen zijn. Ik draai voorzichtig de sleutel om in het slot en doe de deur van de logeerkamer op een klein kiertje open. De hal is leeg en donker. Ik zie dat er licht brandt in de keuken, een driehoek van licht die op het voddenkleed in de hal valt. Er klinkt zachte muziek die ik niet herken.

Hij zit in de woonkamer te lezen. Er staat een plaat op en

er brandt vuur in de tegelkachel. Hij glimlacht wanneer hij me in de deuropening ziet staan en slaat zijn boek dicht.

'Liefje.'

Zo heeft hij me nog nooit genoemd. Zo heeft niemand me ooit genoemd. Dat zeg je alleen als je het meent, naar mijn idee. Dat heeft hij van de zomer ook tegen Stella gezegd, op dezelfde toon, zijn stem kan zo zacht klinken. Ik heb de sprei nog steeds om mijn schouders. Ik voel me een beetje duizelig; dat krijg je als je midden op de dag in slaap valt. Ik heb het gevoel dat het ochtend zou moeten zijn. Ik kijk hem aan.

'Was je in slaap gevallen?' vraagt hij op dezelfde vriendelijke toon. 'Kom even hier zitten.'

Hij klopt uitnodigend op de plaats naast hem op de bank, zoals je een huisdier lokt, en glimlacht nog steeds als ik naast hem ga zitten. Dan zoent hij me, legt zijn hand om mijn nek, trekt me naar zich toe en gaat met zijn vinger over mijn wang.

'Je hebt hier allemaal ruitjes,' zegt hij glimlachend, en ik voel ook aan mijn wang: de sprei heeft een afdruk achtergelaten.

Hij slaat zijn arm om mijn schouders en pakt het boek weer op. Hij begint te lezen en lijkt er meteen in op te gaan.

Was hun relatie zo, vraag ik me af: ruzie en verzoening, keer op keer, altijd omdat hij zich ergens over opwond, zich niet wist te beheersen en haar de stuipen op het lijf joeg? Het is raar dat ze er niet meer over heeft geschreven in haar dagboek, bedenk ik. Daar lijkt haar leven in balans, saai bijna. Ik denk aan haar aantekening over de kapper, aan het laconieke *Gabriel vond het geen goed plan*. En dan begrijp ik het opeens: ze wist dat hij haar dagboek zou lezen. Hij moet hebben geweten dat het daar in het laatje van haar nachtkastje lag. Het bestaat niet dat hij het niet zou hebben geopend en gelezen. Misschien meer voor zichzelf dan uit bezorgdheid over hoe het met haar ging, uit een soort egocentrische nieuwsgierigheid of er ook iets over hem in stond. En dat had zij natuurlijk door. Daarom waren haar aantekeningen zo kort en onpersoonlijk. Daarom schreef ze *Gabriel vond het geen goed plan* over iets wat haar zo bang had gemaakt dat ze huilend het hele eind over het veld was gerend naar Anders en Karin. Omdat ze wist dat hij het zich zo wilde herinneren.

Zijn arm voelt nu zwaar aan om mijn schouders. Ik duw hem weg en sta op van de bank. Hij kijkt me verbaasd aan.

'Ik ga Nils binnenlaten,' zeg ik.

'Die is al binnen.'

'Ik ga iets te lezen halen.'

Hij volgt me met zijn blik als ik de woonkamer uit loop.

'Er is thee als je wilt,' roept hij als ik al in de keuken ben. Ik geef geen antwoord.

Ik kan mijn opluchting nauwelijks verbergen als hij de volgende ochtend zegt dat hij even naar de stad moet. Hij is het grindweggetje voor het huis nog niet af gereden, of ik ben al boven. Ik heb alle kasten in de slaapkamer al doorzocht, alle stapels bladen, tijdschriften en catalogi, en alle boeken op de plank. Daar was niets. Ik loop het ene rondje na het andere door de slaapkamer zonder te weten waar ik moet zoeken. Ik ga op het bed zitten, trek het laatje van het nachtkastje uit en kijk naar het lichtblauwe notitieboekje, voel aan de bodem van de la. Die zou dubbel kunnen zijn, bedenk ik; er zou een ruimte onder kunnen zitten waarin je spullen kunt verstoppen. Maar dat is niet zo, het is maar een dun plankje. Ik klop er een paar keer op om het mezelf te bewijzen en doe het laatje weer dicht.

Ik ga op mijn knieën naast het bed zitten, begin aan de achterkant van het nachtkastje te voelen, eronder, onder de plank waar haar boeken en tijdschriften hebben gelegen. Leeg. Ik kijk onder het bed. Daar ligt niets. Ik voel aan de binnenkant van het hoofdeinde, en daar, boven tegen het schot, stuiten mijn vingertoppen ergens op. Ik herken de gladde, koele zijden stof meteen. Ik ga op de grond liggen en kijk tegen de onderkant van het bed aan. Aan de binnenkant van het frame zit net zo'n notitieboekje als in het laatje, maar dan dieprood. Ik probeer het los te maken en moet flink trekken om dat voor elkaar te krijgen. Het geeft met een ritselend geluid mee. Er zitten twee dikke stroken klittenband op de achterkant, net als tegen de binnenkant van het hoofdeinde van het bed.

Ik voel mijn handen trillen als ik het boek opensla. Het is lang niet vol, maar de bladzijden zijn dicht beschreven in Stella's keurige handschrift, kleine stukjes die allemaal ongedateerd zijn.

Misschien is het echt wel stom, net wat iedereen denkt, ook al zegt niemand het, ik weet het niet. Op de een of andere manier heb ik het gevoel dat het mijn eigen schuld is – eigenlijk houd ik er helemaal niet van als mensen een soort martelaarschap voor zichzelf in scène zetten, dat heb ik zo vaak gezien, dat ze kracht lijken te putten uit een rol die eigenlijk alleen maar destructief is. Ik weet niet wat je zou moeten eisen of waar je genoegen mee zou moeten nemen. Het klinkt verschrikkelijk, de formulering 'genoegen nemen met', maar zo is het waarschijnlijk voor veel mensen wel; dat heb ik vaak gedacht van stellen die ik in de stad tegenkwam, in winkels en op feestjes: het lijkt of ze niet eens bijzonder dol op elkaar zijn, eerder aan elkaar gewend. Ik vond het verschrikkelijk, maar nu weet ik het niet meer. Ik wil geen martelaar zijn, ik wil me geen martelaar voelen, ook niet als het tegenzit; in dat geval is hij net zoveel martelaar als ik. Hij weet net zo goed als ik dat dit niet perfect is, maar het is nu eenmaal zo gelopen en misschien moet je er dan maar het beste van maken.

Ik ben soms bang voor hem als hij boos is. Soms krijg ik het gevoel dat ik die boosheid uitlok, ook al doe ik daar helemaal niets voor, alsof mijn aanwezigheid alleen al genoeg is. Ik heb er vaak over nagedacht wat voor soort vader hij zou worden, ook al weet ik zeker dat er niets door zou veranderen. Hij zou net zo blijven als hij nu is: iemand die je niet wilt ergeren, iemand die je probeert te paaien.

We hebben helemaal niets gemeen. Soms is hij niet eens bijzonder aardig, zelfs niet als er anderen bij zijn. Dat ergert me, en ik schaam me ervoor. Toch vraagt niemand ooit wat ik in hem zie, omdat hij er zo goed uitziet; dan vraagt niemand dat. Als dat niet zo was, zouden ze het wel vragen.

Gisteren was hij weer te hardhandig met me. Het is nu niet alleen meer in de slaapkamer, en soms gaat het schijnbaar onbewust. Ik wilde van de bank opstaan; hij wilde dat ik bleef zitten. Eerst was het een spel, geloof ik. Ik heb nu een blauwe plek op mijn arm, je ziet het niet als ik lange mouwen draag.

Ik denk zo vaak dat ik eigenlijk weg moet gaan.

Volgens mij denkt hij bij alles wat hij doet dat het op de een of andere manier voor mijn bestwil is.

Ik ben over tijd. Ik weet niet of ik hem dat moet vertellen.

Ik mis M. Er is een soort barrière tussen ons geweest die er misschien altijd wel is tussen zussen, dat weet ik niet, maar zoals ik het nu zie kan een zussenrelatie veel verschillende vormen aannemen, net als andere relaties; ik ben een heel stuk ouder dan zij; dan is het niet zo gek dat we nooit zo'n nauwe band hebben gehad als sommige andere zussen. Ik vond het fijn dat ze hier was, ik hoop dat we elkaar vanaf nu vaker gaan zien. Dat heb ik ook tegen haar gezegd toen ze vertrok, en daar leek ze blij om te zijn.

Dat heeft Stella inderdaad gezegd, op het perron vlak voordat ik in de trein zou stappen; de tranen springen me in de ogen zodra ik daaraan denk. Dat was het laatste wat we tegen elkaar zeiden. We beloofden dat we zouden proberen vaker iets af te spreken.

Het heeft weer niet gewerkt. Ik weet niet hoe ik het aan G. moet vertellen.

Het heeft niet gewerkt. Eerst begrijp ik niet wat ze bedoelt; dan besef ik dat het net is wat ik al dacht, afgelopen zomer eigenlijk al, ook al durfde ik die gedachte niet helemaal af te maken. Nu herinner ik me precies hoe ze zat te huilen in mijn armen op het bankje in het park in de kasteeltuin van de zomer. *Hij was zo kwaad. Bijna gek van woede.* Dat is de laatste aantekening in het boekje.

Mijn hart slaat nu hard. *Where shall we go then for pastime, if the worst that can be has been done*, we moeten bij elkaar blijven. Zijn greep om mijn polsen. Ik wil dat, op een andere manier dan zij het wilde. Ze schrijft het immers zelf, bedenk ik. Het lijkt wel of haar aanwezigheid hem ergert, meer dan die van mij. Ik kan leren wat ik moet doen. Daar is niets geks aan, ik moet gewoon zorgen dat ik hem niet kwaad maak, hem niet provoceer. Flikkerende beelden schieten door mijn hoofd; wanneer ik Stella nu voor me zie bij het meer is ze niet alleen; ze is niet bezig haar adem zo lang mogelijk in te houden onder water, en het is niet zo dat ze de situatie niet meer goed kan inschatten. Ze glijdt niet uit en komt niet met haar hoofd op een rots. Hij is bij haar, hij houdt haar hoofd onder, kijkt naar haar onder water, hoe haar haar langzaam golft onder de waterspiegel, hoe haar jurk als een bloem om haar lichaam uitkomt, als een lelie, een waterlelie, zei hij dat niet? *Ik ben soms bang voor hem als hij boos is.* Ik zal hem niet boos maken.

Van beneden roept hij opeens dat het eten klaar is. Ik heb hem niet eens horen thuiskomen. Hij klinkt vriendelijk, gewoon. Ik weet niet wat ik met het dagboek moet doen. Ik houd het nog steeds in mijn hand als ik de trap af loop. Ik moet het hem vragen, ik moet iets zeggen; hij moet het uitleggen en ik moet het uitleggen, en dan kunnen we verder. Ik begrijp het, zal ik zeggen, ik begrijp dat je boos bent geworden op haar, en niet alleen maar boos. Je was teleurgesteld, verdrietig, ik begrijp het. Vertel nu wat er gebeurd is, zal ik met mijn liefste stem zeggen; hij vertelt me graag dingen. Hij vindt dat ik goed kan luisteren. Ik leg het dagboek op het halkastje neer en ga zitten op wat mijn plaats is geworden aan tafel. Hij glimlacht naar me.

We eten in stilte. Ik ben bang om het verkeerd te brengen. Ik herhaal de zinnen in mijn hoofd. Ik zal zeggen dat geheimen mensen verbinden. Ik zal zeggen dat ik het begrijp. Hij heeft een pastaschotel gemaakt met ham en feta, met sla erbij, eenvoudige dagelijkse kost, maar lekker; wat hij kookt is altijd lekker. We drinken wijn. De keukenklok aan de wand tikt luid. Ik heb er nooit eerder bij stilgestaan dat die zo luid tikt; ik heb er last van.

'Is dat een nieuwe klok?' Ik moet het vragen, hoe volslagen absurd die gedachte ook is.

'Nee.'

'Ik herkende hem gewoon niet. Of ik herkende het geluid niet.'

Ik prik een stukje tomaat aan mijn vork, kauw erop totdat het helemaal uit elkaar valt in mijn mond, en slik het dan pas door. Als wij bij elkaar blijven, moet hij weten dat ik het weet, lijkt mij. Dat ik denk dat het nu anders wordt, dat ik ervan overtuigd ben dat het anders zal worden. Dat ik beter voor hem ben dan Stella. Dat heb ik aldoor al geweten, al vanaf het moment dat zij me voor het eerst over hem vertelde. Hij wist het ook, bedenk ik. Misschien had hij het meteen door, de eerste avond afgelopen zomer; al toen we met elkaar kennismaakten was er iets met zijn blik. Hij bleef me aankijken, bleef mijn hand vasthouden.

'Ik heb Stella's dagboek gelezen,' zeg ik.

Hij fronst zijn wenkbrauwen, kijkt me aan.

'O?'

'Er staat in dat je haar pijn hebt gedaan.'

Hij schudt zijn hoofd.

'Nee, dat staat er niet in.'

'Niet in het dagboek dat jij hebt gelezen. Ze had er nog een.'

Hij kijkt even verbaasd, maar lijkt zich snel te herstellen.

'Wat heeft ze daar dan in geschreven?' vraagt hij.

'Alles. Alles wat ze niet schreef in het dagboek waarvan ze wist dat jij het las. Over hoe ze zich eigenlijk voelde. Dat ze soms bang voor je was als je boos werd, en hoe boos je was om haar miskramen. En dat je haar pijn hebt gedaan.'

'Ik heb niets met haar gedaan wat ze niet wilde. Dat begrijp je toch wel?'

'Er staat dat je dat wel hebt gedaan.'

Terwijl ik praat, besef ik dat ik helemaal niet zeg wat ik had willen zeggen, maar hij reageert ook niet zoals ik had verwacht. Hij is erg defensief.

'Misschien ben ik een keer onvoorzichtig geweest, heb ik haar per ongeluk een blauwe plek bezorgd... maar nooit meer dan dat,' zegt hij. 'Als ze iets anders heeft opgeschreven, waren dat fantasieën. Ze had veel van dat soort fantasieën.'

Ik schud mijn hoofd.

'Nee, natuurlijk wil jij dat niet geloven.'

Hij glimlacht scheef.

'En jullie lijken in meer opzichten op elkaar dan jij denkt. Ze vond het leuk, net als jij. Ook al lijk jij het leuker te vinden.'

'Ze wilde bij je weg,' zeg ik. 'Als ze niet in verwachting was geraakt, was ze bij je weggegaan.'

'Heeft ze dat opgeschreven?'

'Ja.'

Hij is van tafel opgestaan. Zijn glas rinkelt tegen het aanrecht wanneer hij het neerzet. De klok aan de muur tikt nu nog harder, onregelmatig, voor mijn gevoel. Sommige seconden duren veel te lang, alsof de wijzer bij elke nieuwe seconde aarzelt, niet weet of hij de toekomst in wil gaan of niet.

'Dat zou ze nooit doen. Ze wist dat ze van mij was.'

Ik kijk nog steeds naar het tafelblad, volg met mijn vingertoppen de omtreklijnen van de krullerige patronen in het tafelkleed. Er is vast iets mis met die klok. Gabriel zou de batterijen moeten vervangen.

'Hoor je wat ik zeg?'

Hij klinkt nu ver weg. Gele en witte narcissen en oranjelelies in het patroon van het tafelkleed. Ik raak de stampers van de oranjelelies aan en denk aan de lelies achter de broeikas, aan mijn eerste avond hier de afgelopen zomer, aan hoe schoon de lucht rook, hoe wijd de hemel was naar alle kanten. Het was volkomen stil, een volmaakte zomeravond. Stella leidde me rond, de kas, de lelies, de grasklokjes in de steenhoop. Ze zei dat ik niet te dichtbij moest komen; er zaten adders tussen de stenen. Toen we klein waren, waren we een keer op bezoek bij kennissen die rijen oranjelelies in de perken hadden staan; Stella en ik raakten de stampers aan en kregen roestbruin stuifmeel aan onze vingers. Het was net pigment, lastig weg te wassen naderhand, het ging in je huid zitten.

Ik denk aan zijn hand om mijn polsen, het gewicht van zijn lichaam op het mijne, hoe stevig zijn greep was. Hij weet precies hoe sterk hij is. Opeens walg ik van mezelf als ik eraan denk hoe opgewonden ik daarvan raakte, van het gevoel niet los te kunnen komen, aan hem overgeleverd te zijn.

'Wat is er eigenlijk gebeurd?' vraag ik, eerst zacht. Dan besef ik dat dat precies de vraag is die hij zou moeten beantwoorden en ik zeg het nog eens, nu met vastere stem: 'Wat is er eigenlijk gebeurd?' Die vraag had ik eerder moeten stellen, meteen toen ze haar hadden gevonden, of verleden zomer al, toen ik begreep dat het niet goed zat tussen Stella en Gabriel. Ik hoor nu de stem van Gabriel. Hij probeert me te overschreeuwen, maar ik schud mijn hoofd. 'Jij was bij haar, of niet soms?' zeg ik. 'Zag ze er daarna uit als een bloem? Onder water?'

Hij schreeuwt dat ik mijn gemak moet houden.

'Je bent hysterisch!' brult hij. 'Je bent net als je zus!'

Daarmee krijgt hij me stil. Ik voel de tranen in mijn ogen springen.

'Helemaal niet,' fluister ik, ik weet niet of hij me hoort. Ik voel me nu koortsig, slap en verkleumd. Ik heb het idee dat de kamer ronddraait, niet alleen de vloer, maar ook de wanden, het fornuis, de deur naar de woonkamer, weer het fornuis, de deur naar de hal, de ramen. Ik zie een glimp van de appelboom bij Anders en Karin in de verte tussen de kale fruitbomen in de tuin door. Het is mistig buiten. Ik zie hem vaag, het fornuis, de deur naar de hal weer.

'Marina,' zegt hij met zijn zachte stem bij het aanrecht, en het is alsof ik hem in de verte hoor. 'Hou op met ruziemaken, liefje.'

Ik herken zijn blik. Hij kijkt net als in de slaapkamer toen hij kwaad was omdat ik Stella's vest aanhad; het is een blik waar kwaadheid én bezorgdheid uit lijken te spreken. Hij doet een paar stappen in mijn richting, en dan sta ik snel op van de keukenstoel en ren naar de deuropening. Het is nu net alsof de hele ruimte kapseist, als een schip in ruwe zee. Ik zoek steun bij de deurpost en loop de hal door, en door het gordijn de bijkeuken in; daar staan Stella's laarzen, ik steek snel mijn voeten erin. Mijn handen trillen als ik onhandig de buitendeur van het slot doe. Ik loop snel naar buiten, de trap af, het grasveld op. Ik hoor Gabriel ook het huis uit komen, ik hoor het ratelen van het bamboegordijn, alle kleine houten stokjes die dansen als hij het opzijtrekt.

'Marina!' roept hij. Ik loop door tot waar het grasveld ophoudt. Ik weet precies waar ik heen moet. Een slootje scheidt het perceel van de akker erachter. Ik stap er met gemak overheen. De buitenverlichting reikt tot hier, maar een paar stappen verder word ik door een compacte duisternis omsloten. Het veld is modderig en nat, mijn voeten glibberen weg. Het is zacht buiten. Er hangt een fijne, bijna roerloze regen in de melkachtige, dikke lucht. Ik hoor Gabriel weer mijn naam roepen. Het klinkt alsof hij nog op het erf is, maar ik draai me niet om en strompel verder. Het is aardedonker, de hemel hoog boven me, fluweelzwart en vol sterren achter de mist die als een vochtig gordijn voor de ruimte hangt. Ik zie de verlichte appelboom aan het eind van het veld. Het licht ervan stroomt uit in de natte lucht, de contouren vervaagd, maar hij is duidelijk te zien, als een vuurtoren aan de horizon. Ik houd mijn ogen er strak op gericht. Het is niet zo ver, het duurde niet zo lang om erheen te wandelen toen ik over de weg liep, en over de velden is het korter, hemelsbreed. Ik herinner me de eerste keer dat ik dat woord hoorde, Stella legde het me uit toen ik klein was: de kortste route van a naar b, zoals een vogel die door de lucht aflegt. Ik weet nog hoe ik dat in gedachten voor me zag: een vogel boven de helling die steil afliep naar het water bij mijn ouders thuis, boven het water en de korenakkers aan de overkant, altijd zomer in mijn gedachten, altijd een heldere lucht en rijp, geel koren, en er was geen brug, je moest omrijden; hemelsbreed was het dichterbij.

Het is stil. Het duister om me heen is groot. Ik hoor alleen mijn eigen ademhaling en mijn zware voetstappen door de modder; ik kan niet meer rennen. Mijn voeten blijven bij elke stap steken. Stella's laarzen zijn iets te groot, voel ik nu, misschien een halve maat. Toen we klein waren kreeg ik haar laarzen, haar schoenen; die waren altijd een halve maat te groot. Met midzomer plukten we 's ochtends altijd bloemen om er kransen van te maken. Dit is een vroege herinnering, van heel lang geleden; ik was klein. We waren met z'n drieën: Stella, mijn moeder en ik. We droegen mooie jurken met rubberlaarzen eronder, want misschien zaten er wel adders; er konden altijd adders zitten. Toen waren we ook bij een veld, de horizon ver weg, en er stonden korenbloemen en rode klaver en margrieten aan de rand van het veld. Een mooie jurk en rubberlaarzen, iets te groot, bij de hiel had ik ruimte over. De geur van rubber en pas gestreken jurken en vroege zomerochtend. De kransen verwelkten snel, de witte kroonblaadjes van de margrieten werden slap en gingen hangen, de rode klaver hield zich het best, taaie stelen, niet kapot te krijgen. Mijn moeder leerde Stella de namen van de bloemen en Stella leerde ze aan mij. *Trifolium pratense.* Huil ik nu of is het de regen? Mijn wangen zijn vochtig. Ben ik al bijna bij de boom? Elke stap duurt nu een eeuwigheid, ik ben doodmoe, wil hier gaan liggen, me gewoon laten vallen, mijn jurk is net een vochtig vlies om mijn lichaam, een nat schild dat aan me vastgekleefd zit, als een cocon waar vlinders zich uit wurmen voordat ze ergens heen kunnen vliegen op vleugels die helemaal nieuw zijn, kleverig, trillend. Stella en ik hadden een keer een rups gevonden in de tuin, dik en pluizig op een tak; die stopten we in een pot, een grote pot waar augurken in hadden gezeten, kilo's augurken hadden we gegeten bij het zondagse vlees en de stoofpot, en we zochten de rups op in een insectenboek: een beervlinder, die overwintert als rups, hij eet wilg, stond er. We zochten een wilg op in het bos en voerden de rups, die grote happen van de bladeren nam, we hoorden het knapperen als hij kauwde en luisterden er giechelend naar. Toen werd de rups een pop. Een witte cocon op een van de takken. We bewaarden de pot in de schuur op het erf, bij de grasmaaier en het hout voor de tegelkachel, de hengels, de hangmat en het croquetspel. Het was in een koude voorjaarsmaand, maart of april, het vroor nog 's nachts; het mos dat zich uitbreidde in de grasmat onder de seringen was 's ochtends bevroren, het ritselde als je eroverheen liep, je voetafdrukken werden donkerder waar de rijp onder je schoenzolen was gesmolten. Op een ochtend was de rups weg, de pot leeg; Stella zei dat hij een vlinder was geworden en weggevlogen was, en ik vroeg me af hoe hij uit de pot had weten te komen, de luchtgaten in het deksel waren te klein. Jaren later vertelde ze pas dat hij doodgegaan was, dat hij een vlinder was geworden en toen in de pot was gestorven, dat hij zich uit zijn cocon had gewurmd en klaar was geweest om weg te vliegen, maar nergens gekomen was. Misschien was hij gestorven van uitputting tijdens zijn pogingen om een uitweg te vinden uit de pot. Hij had op een ochtend stil op de bodem gelegen, en zij en mijn moeder hadden hem gevonden toen ik nog sliep en ze hadden afgesproken om niets tegen mij te zeggen.

De boom is opeens dichterbij. Beweeg ik mijn voeten? Ik moet naar beneden kijken, ik kan mijn laarzen haast niet zien, ik ben zo moe, ik wil nu gaan liggen, in elkaar kruipen ergens op een warm plekje. Misschien zou ik mezelf warm kunnen houden als ik hier op de grond ging liggen en in elkaar kroop, ik zou kunnen wachten tot het ochtend is en totdat iemand me zou vinden, een deken om me heen zou slaan, me vriendelijk toe zou spreken en zou zeggen dat alles goed komt.

Opeens hoor ik Gabriels stem, ik hoor hem mijn naam roepen over het veld, hij klinkt ver weg, maar dat valt moeilijk te bepalen, het vocht in de lucht dempt alle geluiden, isoleert, het omhult de geluidsgolven als een laag watten. Misschien is hij dichterbij dan ik denk, misschien is hij niet ver achter me, volgt hij het geluid van mijn voetstappen en mijn ademhaling, misschien staat hij straks vlak achter me en legt hij zijn hand op mijn schouder. Hij is sterk, zijn harde greep om mijn pols, zijn lichaam boven op me, zwaar, ik zou niet los kunnen komen, niet eens als ik mijn uiterste best zou doen. Ik kijk om en probeer iets te zien, een beweging, een omtrek; ik probeer te luisteren of ik voetstappen hoor. Maar het is stil, leeg, mijn adem wordt rook uit mijn mond, het is opeens koud, de lucht is helderder en de verlichte boom heeft scherpere contouren, zit er sneeuw in de lucht? De eerste sneeuw? Het is nu december. Ik ben de tel kwijt van de dagen, van de weken zelfs. Ik weet niet hoe lang ik hier eigenlijk al ben, of hoe lang ik op dit veld sta. Tien minuten? Een uur? Ik zou het kouder moeten hebben; het is vreemd dat ik het niet kouder heb. De nieuwe kou in de lucht scherpt mijn hersenen. Ik haal diep adem en kijk omhoog: een heldere sterrenlucht. De poolster straalt fel en koud, bijna recht boven de appelboom bij Anders en Karin. Eromheen kan ik sterrenbeelden onderscheiden waarvan ik dacht dat ik ze vergeten was, ik weet opeens de namen weer: de Grote en de Kleine Beer, de Steelpan, de gordel van Orion, Cassiopeia. Die heeft mijn vader me geleerd, hij had een sterrenkaart. We stonden thuis op het balkon te kijken. De heldere winternachten waren het mooist; de hele hemel was dan een grote glinsterende koepel boven ons.

Dan hoef ik nog maar één sloot over, de sloot die het perceel van Anders en Karin scheidt van de akker. Ik wil er net overheen stappen wanneer ik even in verrukking blijf staan.

Het gras glinstert me tegemoet onder de verlichte appelboom. Nu vriest het en de hele tuin is met bevroren nevel geglazuurd; het is zo mooi, het ziet er zo vredig uit. Ik slaak een zucht en door mijn dampende adem heen zie ik de appelboom glinsteren.

Dan pakt hij mijn arm vast. Zijn greep is hard en verrast me volkomen, ik draai me om, probeer me los te trekken, maar glijd in plaats daarvan weg met mijn voet. Onder het dunne laagje rijp is de grond nog steeds zacht, misschien krijgen we deze winter geen vorst in de grond. Ik glibber met mijn modderlaarzen over het gras, ik glijd uit en val. Hij laat mijn arm niet los en valt ook, hij kijkt verbaasd op het moment dat hij zijn evenwicht verliest. Hij komt half boven op me neer en vloekt binnensmonds.

Ik voel dat mijn ene elleboog pijn doet, ik ben er waarschijnlijk op gevallen, maar verder heb ik nergens pijn, ik lig hier lekker ondanks de kou, ik ben zo moe, te moe om nog langer bang te zijn. Misschien ziet Gabriel dat aan me, dat de prooi geveld is, dat ik geen weerstand meer zal bieden, want hij maakt geen aanstalten om me vast te houden. In plaats daarvan gaat hij rechtop zitten en kijkt me aan.

'Hoe is het?' vraagt hij.

Ik moet mijn ogen sluiten, ik ben nu zo moe. Ik voel dat de rijp onder me gesmolten is, vocht is geworden dat door mijn jurk is opgezogen, ik zal hier een afdruk achterlaten, bedenk ik, als een uit melig deeg gestoken speculaaspoppetje, en ik ril van de kou.

'Ik ben zo moe,' zeg ik.

Ik weet niet hoe we thuisgekomen zijn. Misschien heeft Gabriel me teruggesleept over het veld, misschien heb ik zelf gelopen. Ik herinner me warm water over mijn lichaam, en wanneer ik wakker word heb ik een nachthemd en een slipje aan.

Ik lig in het grote bed op de bovenverdieping, met een extra deken over het dekbed. Gabriel zit op de rand van het bed naar me te kijken.

'Hoe gaat het met je?' vraagt hij.

Ik haal mijn schouders op.

'Ik weet niet.'

Ik klink hees, ik heb een zere keel. Alles doet me pijn, voel ik wanneer ik me een beetje beweeg, mijn hele lichaam voelt beurs aan, alsof ik overal spierpijn heb. Het wordt schemerig, de klokradio naast het bed geeft halfdrie 's middags aan, de hemel is ongewoon helder met een paar pluizige, geel en roze gloeiende wolken aan de horizon. Uit het licht achter het raam maak ik op dat de sneeuw die vannacht is gevallen er nog ligt. Het is warm in de kamer, het ruikt naar hyacint en sigarettenrook, ik begrijp waarom als ik de grote asbak met de koperen dolfijn op het nachtkastje zie staan. Er ligt een smeulende sigaret tussen de peuken. Naast de asbak ligt de krant van vandaag en daar staat een van de wit-met-blauwe kopjes op. Ik begrijp dat Gabriel al een hele poos op de rand van het bed heeft zitten wachten tot ik wakker zou worden.

Hij kijkt naar me, slaat me een paar tellen gade met zijn donkere, ernstige blik, waarna hij zich naar voren buigt en me kust. Ik beantwoord de kus. Hij raakt me aan, zijn handen trekken het dekbed weg en glijden langs mijn armen, langs mijn lichaam naar beneden en over mijn dijen, ik doe mijn ogen dicht.

Opeens prikt er iets aan de binnenkant van mijn dijbeen, heel hoog. Ik kan het gevoel eerst moeilijk thuisbrengen en mijn eerste gedachte is dat ik gebeten word, door een slang, dat er iets door mijn huid heen is gedrongen en mijn bloedsomloop binnengaat, een gif, een koorts. Ik heb het idee dat ik bijna kan voelen hoe het zich door mijn lichaam verspreidt; als het mijn hart bereikt ga ik dood, bedenk ik. Dan gaat het prikken over in een ander soort pijn, dieper. Het voelt raar, ijskoud of gloeiend heet, dat kan ik eerst niet bepalen. Daarna doet het zoveel pijn dat ik het uitschreeuw. Dan buigt hij zich over me heen en kust me weer, houdt me vast, duwt zijn lippen hard tegen de mijne en smoort mijn schreeuw. Het is zo'n hartstochtelijke zoen dat ik de pijn heel even vergeet, en dan is hij weg en is alleen de kus nog over, en die beantwoord ik, ik klamp me aan hem vast. Hij strijkt voorzichtig over mijn been en raakt de plek zachtjes aan. Ik voel een scheut van pijn.

Hij staat op, drukt de gloeiende sigaret uit in de asbak en kijkt naar me zoals ik daar lig met mijn benen gespreid. Zijn blik is donker en warm tegelijk. Hij komt weer naast me liggen, boort zijn gezicht in mijn haar en fluistert in mijn oor dat ik het goed gedaan heb.

Wanneer hij in slaap gevallen is, maak ik me voorzichtig los uit zijn armen en stap uit bed. Mijn lichaam voelt stijf aan en de vloer is koud aan mijn blote voeten. Ik steek ze in een paar pantoffels die in de slaapkamer staan. Ook al is het schemerig in het vertrek, toch kan ik de plek op mijn dij duidelijk zien in de spiegel; hij steekt donker af tegen mijn winterbleke huid. Ik raak hem voorzichtig aan met mijn vingertoppen. Het doet wel pijn, maar toch is het niet onplezierig. Het is iets anders. Dit is het bewijs, bedenk ik.

Ik loop voorzichtig de trap af; ik heb de plekken leren ontwijken die het ergst kraken. De geur van hyacinten hangt in het hele huis, zacht en geparfumeerd. Het is net of de weersomslag de hele sfeer heeft beïnvloed, ook binnenshuis; alsof het hele huis tot rust is gekomen onder het sneeuwdek, kalm en ontspannen is geworden.

Het is stil beneden. Ik loop door de hal en de bijkeuken om Nils binnen te laten. Zodra ik de deur opendoe glipt hij miauwend naar binnen en sluipt snel naar zijn etensbak in de keuken. De buitenlucht is fris, koel. Ik adem diep in en heb het gevoel dat mijn hoofd meteen helderder wordt.

Als ik de buitendeur dicht heb gedaan, zie ik de pot op het kastje. Die moet daar al vanaf die vrijdagavond staan. Ik kan de dagen niet meer uit elkaar houden. Het is koud in de bijkeuken, er is geen verwarming en het is er schemerig; er komt alleen een beetje licht naar binnen door het bolle oude glas in het raam van de buitendeur. Te donker voor een orchidee, bedenk ik, misschien net zo donker als op de grond in een regenwoud. En niks om in te klimmen om dichter bij het licht te komen.

De hele plant is slap en ingezakt, ingestort. De roze bloem donker, de steel zacht en buigzaam. Ik neem hem mee naar de keuken, doe het gootsteenkastje open en laat de pot in de vuilniszak vallen.

De duisternis achter de ramen is nu anders, minder compact. Het veld dat zich aan de andere kant van het perceel uitstrekt is bedekt met sneeuw, een dunne deken die oplicht in het donker. Stella's dagboek met de glanzende rode kaft, waar is dat gisteren gebleven? Ik had het in mijn hand toen ik gisteravond het huis uit rende, maar daarna?

Misschien heb ik het op het veld laten vallen, ergens onderweg naar de appelboom van Anders en Karin. In mijn gedachten zie ik het daar liggen, in de modder die nu bevroren is, onder de sneeuw, ik zie hoe de tekst zal oplossen in het vocht, zal worden uitgewist, verdwijnen. Ik zie hoe het daar in het voorjaar nog ligt als de sneeuw smelt en de modderige aarde nat en zacht wordt, totdat het tijd wordt om te zaaien; hoe de boer die de akker hier bewerkt de grond zal ploegen en hoe de scherpe bladen van de ploeg erdoorheen zullen snijden en het zullen vermalen tot rode en witte slierten, en die vervolgens onderspitten. En er dan zaaigoed over strooien, dat ontkiemt en uitgroeit tot koren dat de komende zomer geel en rijp in de zon zal staan.

THERESE BOHMAN

Verdronken

OVER DE AUTEUR

LEESCLUB

Zie ook:
www.orlandouitgevers.nl
www.leescluborlando.nl

OVER DE AUTEUR

Therese Bohman (1978) groeide op in Kolmården, net buiten Norrköping, maar woont momenteel in Stockholm. Ze is redacteur van het culturele tijdschrift *Axess*, en werkt daarnaast als freelance journalist voor *Expressen* en *Tidningen Vi*, waarin ze schrijft over literatuur, kunst, cultuur en mode. *Verdronken* is haar debuut.

ENKELE VRAGEN AAN THERESE BOHMAN

Hoe lang heb je erover gedaan om Verdronken *te schrijven?*
Al met al zo'n zeven à acht jaar! Maar ik ben er niet continu mee bezig geweest. Het grootste gedeelte van het werk heb ik in ruim een maand gedaan; tijdens een regenachtige november heb ik elke dag zitten schrijven.

Hoe ontstond de inspiratie voor Verdronken*?*
Ik weet nog precies wanneer ik het idee kreeg: ik was met de bus onderweg van de universiteit naar huis, en die bus reed over een snelweg omgeven door uitgestrekte open velden. Ik zag toen een mooi huis op een van die velden en ik bedacht dat het net een huis uit een film of een roman was... en toen begon ik erover na te denken wat daar zou kunnen gebeuren. Zodra ik thuis was, ben ik gaan zitten en heb de eerste bladzijden geschreven.

Ging het schrijven van Verdronken *vloeiend of liep je tegen bepaalde problemen aan? Zo ja welke problemen en hoe heb je ze opgelost?*
Het liep niet vloeiend, vooral omdat ik vastliep en niet wist hoe ik verder moest. Ik schrijf erg intuïtief, vaak zonder dat ik van tevoren heb bedacht wat er gaat gebeuren. In *Verdronken* zat bijvoorbeeld oorspronkelijk een vierde persoon, die ik helemaal geweldig vond en over wie ik al tamelijk veel had geschreven, maar die ik moest schrappen toen ik besefte dat hij helemaal niets toevoegde.

Verdronken *is je debuut. Kun je vertellen wat er door je heen ging toen je het boek voor het eerst in handen had?*
Dat was heel onwezenlijk! Ik weet het nog precies, het was een warme dag in augustus, het boek kwam net van de drukker en ik mocht een paar van de eerste exemplaren komen halen op de uitgeverij. Op de gang kwamen mijn uitgever en ik Torgny Lindgren tegen (een bekende en gerespecteerde Zweedse schrijver van 74). Torgny Lindgren gaf me een hand, complimenteerde me met mijn boek. Dat was geweldig!

Was je erg nerveus voor de reacties van lezers en critici? Lees je überhaupt recensies en trek je je er iets van aan?
Ik had van tevoren bedacht dat ik geen recensies zou lezen, maar op de dag van de recensie werd ik 's ochtends gebeld door een vriend die zei: 'Je hebt een grote en ontzettend goede recensie in *Dagens Nyheter*,' (de grootste ochtendkrant van Zweden) en toen was ik zo blij dat ik dacht dat het niet uitmaakte wat de andere kranten zouden schrijven.

De karakters in het boek hebben allemaal een destructieve kant. Waarom fascineert dit thema je zo?
Ik ben gefascineerd door machtsverhoudingen tussen mensen: wie dominant is in een relatie, hoe die macht tot uiting komt en welke consequenties die macht heeft. Niet alleen in liefdesrelaties, maar ook in vriendschappen en binnen het gezin.

Snap je waarom Marina zich toch aangetrokken blijft voelen tot Gabriel ook als ze weet dat hij een gevaarlijke man is?
Ja, op een bepaalde manier snap ik dat wel. Hij kan haar een heel speciaal soort bevestiging geven: het gevoel dat hij haar liever heeft dan haar zus. En aangezien Marina zo'n sterke behoefte heeft aan juist die bevestiging, is ze bereid daar bijna alles voor te doen.

Ben je gaan houden van Gabriel, Stella en Marina of was het uit de pen uit het hart?
Ik ben absoluut om hen gaan geven, zoals je om mensen geeft die dicht bij je staan; je ziet hun slechte kanten wel, maar je houdt toch van ze.

Welke eigenschappen/karaktertrekken van Gabriel, Stella en Marina spreken je het meeste aan en waarom?
Van Gabriel spreekt het me aan dat hij zo gepassioneerd en charmant is, en van Stella dat ze zo koel en perfect is. En met Marina kan ik me identificeren – want zij lijkt het meest op mij. Maar ik erger me ook aan alle drie, vooral omdat ze zo met zichzelf bezig zijn; het zijn drie extreem egocentrische personen.

Waarom heb je ervoor gekozen om het verhaal binnen de 'familie' te houden (Stella en Marina zijn zussen).
Het krijgt een diepere lading als het om twee zussen gaat: verraad aan een zus is het ergste verraad. En het verdriet om een zus is waarschijnlijk het grootste verdriet.

Verdronken *is een psychologische roman, lees je zelf ook graag dergelijke boeken of gaat je voorkeur uit naar andere genres?*
Ja, ik ben gek op psychologische boeken en films. *Verdronken* is door film geïnspireerd: Alfred Hitchcock of Roman Polanski, sfeervol en doodeng, met psychologische diepgang…

Werk je alweer aan een nieuw boek en zo ja wil je daar wat over vertellen?
Ik ben met een nieuw manuscript bezig, waarmee ik nu ongeveer halverwege ben. Het thema van dit boek lijkt op dat van *Verdronken*, maar het milieu en de omstandigheden zijn totaal anders.

LEESCLUB

LEESCLUBVRAGEN VOOR *VERDRONKEN*

1. Vanaf het begin van het boek voel je de spanning tussen Marina en haar zus Stella, en tussen Marina en Gabriel. Wat voor soort spanning is het en hoe ontwikkelt deze zich in de loop van het verhaal?

2. Gaandeweg wordt duidelijk dat er iets niet helemaal goed zit in de relatie van Stella en Gabriel. Waarom verzwijgt Stella dit voor de buitenwereld, denk je?

3. De dood van Stella wordt niet opgehelderd in het boek, er zijn alleen de vermoedens van Marina. Wat denk je dat er is gebeurd? Waarom zou Gabriel haar vermoord kunnen hebben? Breng haar dood ook in verband met het schilderij *Ophelia* van Millais en het gedicht van Rimbaud.

4. Marina is na Stella's dood naar Gabriel gegaan om de spullen van haar zus uit te zoeken, maar geleidelijk aan lijkt het erop dat ze steeds meer de plaats van haar zus inneemt. Waarom denk je dat Marina bij Gabriel blijft?

5. Als Marina besluit om toch weg te vluchten van Gabriel en naar het huis van Karin en Anders rent, haalt Gabriel haar op het laatste moment in. Het einde laat open wat er daarna precies gebeurt. Zou Marina de moed hebben nog eens op de loop te gaan?